MARTIN CAIDIN

Unternehmen Aquarius

AQUARIUS MISSION

Science Fiction-Roman

Deutsche
Erstveröffentlichung

Wilhelm Goldmann Verlag

Aus dem Amerikanischen übertragen von
Jürgen Saupe

Made in Germany · 8/79 · 1. Auflage · 1112
© der Originalausgabe 1978 by Martin Caidin
© der deutschsprachigen Ausgabe 1979 by Wilhelm Goldmann Verlag, München
Umschlagentwurf: Atelier Adolf & Angelika Bachmann, München
Umschlagillustration: Jürgen F. Rogner, München
Gesamtherstellung: Mohndruck Reinhard Mohn GmbH, Gütersloh
Verlagsnummer 23 313
Lektorat: Helmut Putz/Melanie Berens · Herstellung: Lothar Hofmann
ISBN 3-442-23313-5

ERSTES BUCH

I

Dr. Matthew Chadwick vom Ozeanographischen Institut saß entspannt in seinem gepolsterten Sitz und sah auf die in allen Farben glimmenden Instrumente vor ihm. Elastische Gurte lagen ihm locker an; bei heftigen Bewegungen würden sie ihn jedoch mit eiserner Sicherheit festhalten.

Chadwick hatte eine kalte Pfeife zwischen den Zähnen. In einer Luft, deren Druck genau geregelt war, konnte man nicht an Rauchen denken, doch die Erinnerung an das süße Aroma verschaffte ein wenig Behaglichkeit. In dieser eng begrenzten Welt – kaum mehr als eine Blase aus Stahl und durchsichtigem Kunststoff – war Disziplin alles, und Chadwick paßte sich ihr gelassen an. Nicht weit von seinem Körper wälzte sich Wasser mit riesigem Druck an der Wand seines kleinen Forschungsunterseebootes entlang.

Die gähnenden Tiefen hatten Chadwick schon lange angezogen, hatte er doch den größten Teil seines Lebens in oder auf dem Meer zugebracht. Obwohl Chadwick zu den führenden Meeresforschern des Planeten gerechnet wurde, wußte er genau, daß er nur einen Bruchteil von dem verstand, was die Tiefen des Meeres vor dem Menschen verbargen. Er glitt mühelos in die Tiefe und befand sich tausend Meter unter den kalten, aufgewühlten Fluten, die die drohend aufragende Gebirgskette umflossen, welche unter dem Namen Aleüten bekannt ist. Er hatte die akademische Welt mit ihrer Wichtigtuerei völlig vergessen.

Das gedämpfte Licht in der Kabine des U-Bootes ließ die Falten, die Wind, Salz und Sonne in das Gesicht des Fünfundsechzigjährigen gegraben hatten, weicher erscheinen. Im rechten Sitz neben ihm saß angeschnallt Larry Templeton, sechsundzwanzig Jahre alt, der eifrige, begeisterte Schüler Dr. Chadwicks. Templeton, ein ernster Mensch, fast ein Grübler, wäre überrascht gewesen, hätte er gewußt, wieviel Chadwick von ihm hielt.

Vor dem kurzen, aber wüsten Atomkrieg, der Ende 1994 aufgeflammt und vier Monate später beendet worden war, hatte der technologische Fortschritt eine Generation von Wissenschaftlern hervorgebracht, die Scheuklappen trug. Man verfolgte persönliche Ziele, die zu eng begrenztem Gesichtsfeld führten. Letzteres zeitigte zwar unter festumrissenen Bedingungen wertvolle Einsichten, machte jedoch, in Augenblicken der Unsicherheit und des Versagens der Apparaturen, den Spezialisten zur blinden Made. Er war dann nicht viel mehr als ein technologischer Hausmeister oder Laufbursche.

Der Schlag, zu dem Larry Templeton gehörte, war anders. Der wilde ›kleine‹ Atomkrieg lag fünf Jahre zurück. Zerstörte Städte und enormer radioaktiver Schutt erinnerten an ihn, aber man hatte die Lektion gelernt. Die junge Generation wollte sich mit Hilfe von Computern, Drogen, die die Erinnerungsrezeptoren des Gehirns anregten, und einer längst überfälligen Dosis gesunden Menschenverstandes so umfassend wie möglich bilden.

Larry Templeton war so zu einer Autorität auf dem Gebiet der Gewässerkunde geworden, hatte aber ebenso seine Sprachbegabung gepflegt und konnte acht Sprachen lesen, schreiben und sprechen. Außerdem besaß er die Neigung, sich mit biologischen Fragen zu beschäftigen. Diese Art der Ausbildung brachte Menschen hervor, die in ihrem Fach große Kenntnisse aufwiesen, sich auf anderen Gebieten aber ebenfalls gut auskannten und daher das ›Ganze‹ einer Welt nicht aus den Augen verloren, die sich nach ihrem Beinahe-Untergang um so mehr auf Wissenschaft und Technik verlassen mußte, um zu bestehen.

Eine Milliarde Menschen tot. Doppelt so viele an der radioaktiven Vergiftung leidend, und der Rest schlug sich mit kaputter Landwirtschaft, kranken Pflanzen und ungesunden Tieren herum. Es war eine Welt, die nach ungeheuren Anstrengungen verlangte.

Beim Überleben kam es in erster Linie auf Nahrung an, auf Nahrung und neue Erdölquellen, die das Funktionieren der Technik sichern sollten, die in einer Atmosphäre von Bitterkeit und Zynismus so dringend zum Wiederaufbau benötigt wurde. Der Planet sah sich der nackten Wirklichkeit gegenüber, und die Probleme der Beschaffung und Verteilung von Nahrung und Erdöl mußten umgehend gelöst werden, wollte man nicht erneut im Wahnsinn eines Krieges versinken.

Es gab Hoffnung. Eine neue Wissenschaft war entstanden, die in den Tiefen des ›Nachbarplaneten‹ der Erde, in den Meeren, nach neuen Möglichkeiten suchte. Dieser ›Planet‹ wurde manchmal die Hydrowelt genannt. Unter dem Salzwasser lagen Schätze, die den Niedergang der Welt verhindern konnten.

So glitten also Dr. Matthew Chadwick und Larry Templeton langsam in die Tiefen des Aleutengrabens, waren eben in tausend Metern Tiefe und hatten noch mehr als sechstausend Meter Wasser unter sich.

Das zweisitzige U-Boot, die *Sea Search*, gehörte zu den neueren Schiffen. Kunststoff und Stahl konnten unvorstellbarem Druck standhalten. Man hatte das Prinzip des ›Luftballons‹ mit statischem Auftrieb aufgegeben, das typisch für die Tauchboote früherer Zeit war. Jetzt versuchte man es in den Tiefen der Ozeane mit dynamischem Auftrieb, der für hohe Geschwindigkeiten, noch nie dagewesene Wendigkeit und für eine Freiheit sorgte, von der alte U-Boot-Fahrer nur hatten träumen können. Er hatte freilich den Nachteil der Maschinen an sich, die sich in dem flüssigen Medium bewegen, das wir Atmosphäre nennen. Wenn der Antrieb ausfiel, ging es unaufhaltsam abwärts. Aus.

Die *Sea Search* mit Chadwick und Templeton an Bord war zu winzig, um jemanden beeindrucken zu können, von den Leuten abgesehen, die mit solchen Tauchbooten vertraut waren. In ihre vollgestopfte Kabine paßten nur zwei Männer, doch diese beiden konnten ihr Unterseeboot wie ein kleines Aufklärungsflugzeug steuern. Sie konnten tauchen, steigen, wenden und schweben, ganz wie sie wollten. Die Ausrüstung bestand außer dem Antriebsaggregat und Tank vor allem aus Instrumenten und Sonden,

7

mit denen Chadwick und Templeton die Qualität dessen zu prüfen vermochten, wonach Menschen überall verzweifelt suchten: Erdöl. Ein einziger Fund konnte eine Änderung der internationalen Politik bringen.

Als sich die beiden Männer von dem Ort entfernten, an dem Meer und Atmosphäre sich berühren, umgab sie eine Welt von Geräuschen, denen nur die wenigsten Menschen je ausgesetzt waren, einem mißtönenden Durcheinander von kreischenden, stöhnenden, blubbernden, knackenden Geräuschen, einem donnernden Getöse und Knirschen, das vom Leben im Meer hervorgebracht wurde. Die Geräusche waren sehr laut, weil sich der Schall im Ozean stärker fortpflanzt und sich weiter ausbreitet als vergleichbare Wellen in der Atmosphäre. In einer Tiefe von über tausend Metern, in die kein Sonnenlicht mehr dringt, wogte und brüllte und flüsterte das Leben um sie herum. Die Geräusche drangen durch die Haut des U-Bootes, und die beiden Männer, die sich über den Reichtum an Klangfarben freuten, hörten alles ganz deutlich, weil an der Außenwand Hydrophone angebracht waren, die die Klänge an die Kabinenlautsprecher weiterleiteten.

Chadwick und Templeton sanken durch undurchdringliche Nacht in die Tiefe. Kein letzter Sonnenstrahl konnte sie hier mehr erreichen, aber sie waren in der Kunst geübt, sich in dieser Welt ewiger Dunkelheit zurechtzufinden. Wenn sie mit den Augen beobachten wollten, konnten sie helle Scheinwerfer einschalten, die aber kaum mehr als Taschenlampen im Nebel ausrichteten, da viel Licht gestreut und reflektiert wurde. Außerdem konnten sie kleine Geschosse aussenden, die entweder Scheinwerfer oder starke Leuchtbomben mit sich trugen. Im hohen Druck der Tiefen zischten die Leuchtbomben wie verrückt, wenn ihre Chemikalien reagierten und für eine begrenzte Zeit eine strahlende Lichtkugel entstehen ließen.

Und doch gab es in diesen dunklen Wassern natürliches Licht, geschaffen durch das Phänomen der Biolumineszenz. Die Tiefen explodierten manchmal in stummer Pracht, wenn alle möglichen Geschöpfe aufflackerten oder in blendenden Farben aufleuchteten, die eine Vielzahl von Mustern bilden konnten.

Templeton wandte den Blick vom Fenster direkt vor ihm ab und blickte auf die gewölbte Fläche der Instrumente und Hebel. Das Sonar, das Ortungsgerät, zeigte an, daß ein Kontakt gemacht worden war. Die Schallwellen, die das U-Boot aussandte, hatten ein Objekt ›gefunden‹. Die beiden Männer blickten ruhig auf die Instrumente.

»Was es auch sein mag«, sagte Chadwick mit der Pfeife im Mund, »es handelt sich um eine ganze Menge. Interessant.«

Templeton beugte sich vor, um Hebel zu bedienen. Er mußte sich konzentrieren und blieb einige Sekunden still. »Da«, sagte er schließlich. »Wir sind fest dran. Ich versuche, den Abstand zu verringern.«

Chadwick machte eine beruhigende Handbewegung. »Machen Sie sich nicht zu viel Arbeit damit, Larry. Wir haben in unserer Nähe ein paar Temperaturinversionen.«

»Also, ich glaube, ich kann vielleicht –« Larry richtete sich auf. Sein Gesicht zeigte Überraschung. »Direkt vor uns. Kaum zweihundert Meter entfernt.«

Chadwick legte die Hände auf die Hebel vor ihm. »Sehr schön. Die Scheinwerfer bereithalten. Ich glaube, wir brauchen keine Leuchtbomben.«

»Gut, Sir.«

»Ach ja«, fuhr der ältere Mann fort, »wir werden auch die automatische Kamera brauchen. Es könnte interessant werden.«

Templeton warf rasch einen Blick auf ihn. »Sie wissen, was da draußen ist?«

Um Chadwicks Lippen spielte ein leichtes Lächeln. »Ich glaube schon«, sagte er langsam. Er sah auf die Instrumente, lehnte sich zurück und war sich fast sicher, ›alte Freunde‹ wiederzusehen.

»Alles bereit«, meldete Templeton. »Entfernung beträgt null drei null, nimmt stetig ab. Soll ich das Licht anmachen?«

Chadwick schüttelte den Kopf. Er klopfte mit dem Finger gegen den Bildschirm des Sonars. »Noch nicht. Die Kameras können eingeschaltet werden. Ich glaube, unsere Freunde da draußen werden sich gleich etwas zu erzählen haben.«

Templeton blickte ihn verständnislos an.

Chadwick lächelte. »Passen Sie jetzt genau auf.«

Sie nahmen bewußt das Geräusch wahr, mit dem das Wasser an der Schiffshaut entlangschoß, die unaufhörlichen Klänge des Lebens im Meer, das Summen der Maschinen im U-Boot. Im gleichen Augenblick, als Chadwick die Scheinwerfer aufleuchten ließ, schaltete Templeton die Lautsprecher in der Kabine ab.

Das helle Licht sprang durch das schwarze Wasser, in der Kabine wurde es still, und dann schaltete Chadwick rasch die Lampen wieder aus. Vor ihnen war wieder Finsternis, jedoch nur einen Augenblick lang.

Schweigend beobachteten sie eine Reihe vielfarbiger Explosionen dicht voraus. Templeton hielt die Luft an, wollte etwas sagen, überlegte es sich anders und überließ sich dem Augenblick. Er sah eine Pracht, die nur von sehr wenigen Menschen je erblickt worden war, sah den stummen Austausch von Botschaften, die von Wesen in der natürlichen, immerwährenden Finsternis in kaum glaublicher Vielfalt, in hellen Blitzen und feinen Farbnuancen ausgesandt wurden.

Templeton starrte auf große Kraken, die sich stumm etwas zuriefen, die sich mit leuchtenden Leibern verständigten. Vom Körper wogte Licht in präzisen Mustern in die Fangarme hinaus. Die Geschöpfe glühten unheimlich. Die meisten Tiere glitten an dem absinkenden kleinen U-Boot vorbei, doch manche machten plötzliche, rasche Bewegungen und hinterließen einen sprühenden Funkenregen.

Templeton wandte sich mit erstauntem Gesicht dem alten Mann neben sich zu. »Das hätte ich mir nicht träumen lassen. Ich weiß natürlich Bescheid über die Kraken, daß sie . . . aber ich bin einfach überwältigt. Sie haben sich untereinander verständigt. Das hatte Struktur, Meldungen wurden ausgetauscht . . .«

»Sie haben über uns geredet, Larry.« Chadwick nahm die Pfeife aus dem Mund und lächelte seinen Assistenten an. »Sie haben gesehen, wie uns die meisten nach ein paar Augenblicken nicht mehr beachteten. Nur ein paar folgen unserem Abstieg.«

Er lächelte, als Templeton wieder zur Luke hinaussah. »Sie werden sie nicht mehr sehen«, fuhr er fort. »Sie haben festgestellt, daß wir ihnen nicht gefährlich werden können, und so kümmern sie sich weiter um ihre eigenen Sachen.«

»Sie sehen das nicht zum ersten Mal?«

Chadwick lächelte. »Nein, ich habe es schon oft gesehen. Ich wollte, es wäre mir möglich, ihre Lichtstrukturen zu untersuchen und den Grad ihrer Intelligenz festzustellen. Er ist hoch. Sie gehören zu den schlauesten Tieren im Meer.«

Templeton kaute auf seiner Unterlippe. »Haben wir schon versucht, uns mit ihnen in Verbindung zu setzen?« fragte er. »Ich meine, so wie wir es bei den Walen gemacht haben?«

Chadwick schüttelte langsam den Kopf. »Wir hatten nie eine Gelegenheit. Eins scheint aber sicher: Diese Geschöpfe stehen seit Jahrmillionen auf diese Art untereinander in Verbindung.«

Templeton sah durch das Fenster und sagte: »Sie sind immer noch in unserer Nähe.«

Chadwick war sofort ganz Aufmerksamkeit. »Das ist merkwürdig. Schnell, Larry, filmen Sie! Die Lichter an und die Kameras —«

Er mußte nicht zu Ende sprechen. Templetons Hände flogen über die Hebel, und sofort flutete blendendes Licht ins Meer. Die Kameras begannen zu surren. Im weißen Licht verblaßten die leuchtenden Farben der Kraken, und die Tiere waren verschwommen zu sehen. Die beiden Männer erblickten kurz weißliche Leiber und wirbelnde Arme, und dann verschwand alles in Wolken einer tintigen Flüssigkeit. Die Kraken flüchteten.

»Alles ausschalten«, sagte Chadwick.

Die Scheinwerfer verloschen, und wieder bestand die Welt nur aus dem Glimmen der Instrumente ihrer Kabine.

»Tausendeinhundert Meter«, stellte Chadwick fest. Er lehnte sich zurück, entspannte sich, holte sich ein Mikrophon heran und drückte einen Knopf, auf dem AUSLÖSUNG DER ANTENNE stand. »Hier oben finden wir nie Erdöl, Larry. Beschleunigen Sie unseren Abstieg.«

Er schwieg, während Templeton den Antrieb regelte. Das kleine U-Boot erzitterte, als die Hydrojets anfingen, schneller zu laufen.

»1100 Meter liegen hinter uns, und wir steigen jetzt mit 230 Metern pro Minute hinab«, verkündete Templeton.

»Sehr schön. Bleiben Sie dabei. Ich werde mit den Leuten oben reden.«

Er wartete, bis die Antennenanzeige grün aufleuchtete, und sprach dann ruhig in das Mikrophon.

Fast eineinhalb Kilometer über ihnen schwang seine Stimme als Radiowelle durch die Luft.

2

Das Sonnenlicht ließ das Meer, das für die Gewässer um die Inseln der Alëuten ungewöhnlich ruhig war, wie blank poliertes Kupfer aussehen. Ein seltener Augenblick, und die Mannschaft der großen S. S. *Windward* wußte ihn zu schätzen, hatte man doch genug mit Stürmen und hohen Wellen zu tun gehabt. Jetzt bewegte sich die *Windward* langsam durch sanfte Wogen und tanzende Lichtflecken, und die Mannschaft hatte Ruhe, während sich der Kapitän des Forschungsschiffes eine Stimme anhörte, die aus der Tiefe des Gewässers kam.

Kapitän Lars Svensen trug wie seine Mannschaft einen wasserdichten Anzug, dessen Innentemperatur automatisch geregelt wurde. Svensen stand auf der Brücke, ließ die Augen frei schweifen, war aber trotzdem ganz bei der Sache. Er sprach in ein winziges Lippenmikrophon am Mundwinkel und lauschte einem Lautsprecher, der in den Knochen hinter seinem Ohr eingelassen war.

Lars Svensen hatte das angenehme Gefühl, losgelöst zu sein, und spürte den Wind, der durch offene Fenster in die Brücke drang. Er ließ die ungewöhnliche Ruhe des Meeres auf sich wirken, fühlte die Wärme der Sonne und stellte sich das kleine U-Boot auf seinem Weg in die Tiefe vor. Er hatte es von seinem Schiff ins Wasser gelassen. Die *Windward* war das Mutterschiff, war Aufpasser und Kommandostelle, und Chadwick würde sich später wieder mit Svensen treffen. Chadwicks Stimme drang nun geisterhaft in Svensens Ohr, eine Stimme, die Hunderte von Metern unter der Wasseroberfläche von einem Mikrophon eingefangen wurde, durch den dünnen Draht fuhr, den die *Sea Search* hinter sich herzog, und an der Oberfläche in Radiowellen umgewandelt wurde, bevor sie die Empfangsantenne der *Windward* erreichte und von dort ins Ohr Svensens gelangte.

»Ich kann Sie sehr deutlich hören, Matt«, sagte er. »Wie steht's mit eurer Fahrt in die Tiefe?«

»Sehr gut. Bis jetzt ging alles eigentlich glatt. Wir hatten einige Zeit lang Begleiter.«

Svensen nickte. »Wissen wir. Aber das Sonar bekam nicht heraus, worum es sich handelte. Wir tippten auf Tintenfische.«

»Beinahe getroffen«, antwortete Chadwicks Stimme. »Kraken. Fast ein ganzer Stamm. Wir haben sie gefilmt.«

»Matt, geben Sie mir doch bitte Ihre Tiefe durch?« Svensen warf einen Blick auf die Instrumente, die die Fahrt des U-Bootes überwachten.

»Wir sind genau auf zwölfhundert Meter, Lars.«

Svensen sah sich die Tiefenanzeige an. Ganz genau 1200 Meter. Die Schiffsinstrumente folgten dem U-Boot präzise.

»Sehr schön«, sagte Svensen. »Sie sind auf dem richtigen Weg. Wie gefällt Templeton die Fahrt?«

»Gut, gut. Lars, wir haben jetzt Anzeichen, daß sich unter uns Inversionsschichten befinden. Das Echo des Sonars ist verzerrt. Sehen Sie oben auch etwas?«

Svensen nickte. Man hatte vorausgesehen, daß die *Sea Search* auf dergleichen stoßen würde. Man hatte eine kleine Sonde mit hoher Geschwindigkeit hinabgeschickt, um Meldungen über die Verhältnisse in verschiedenen Tiefen zu bekommen. Nur wenige Menschen wissen, daß der weite, dreidimensionale Raum des Ozeans alles andere als bewegungslos ist. Die Tiefe, das Meer weit unter der Oberfläche, wird alle gewaltigen Kräfte dämpfen, meint man. Die Wahrheit ist beinahe das Gegenteil, denn die oberen Schichten des Meeres verdecken eine Energie, die ständig rollt, schwillt, Wellen, Fronten und Strömungen vor sich herschiebt, in denen ungeheure Kraft steckt. Tief unterhalb des Bereiches, in dem der Mensch noch etwas sehen kann, fließen Strömungen mit der mahlenden Macht von tausend Flüssen. Nebenarme schieben sich unvorhersehbar in alle Richtungen. Es ist nichts Ungewöhnliches, kilometerbreite Flüsse kraftvoll von

Norden nach Süden strömen zu sehen, und nur wenige Meter unter ihnen fließen andere Wassermassen in der genau entgegengesetzten Richtung. Die Ebenen der Hydrowelt ähneln den Höhenströmungen des Ozeans der Atmosphäre, die manchmal sanft und unbeständig, dann wieder wild und unwiderstehlich sind. Die Natur der Meerestiefe läßt mächtige Ströme fast Seite an Seite fließen, doch in ständig wechselnder Landschaft, und man kann unmöglich vorhersagen, was wann wo geschehen wird.

Deshalb muß man vorsichtig in die Tiefe des Ozeans eindringen, benötigt man ein starkes Fahrzeug mit kräftigem Antrieb und muß einem alles Wissen über die Hydrowelt zur Verfügung stehen. Die Tiefen, durch die sich Chadwick und Templeton jetzt bewegten, waren voller Wirbel und Ströme, riesiger Gebirge aus Wasser, die senkrecht in die Höhe stiegen und mit gewaltiger Kraft in die Tiefe glitten. In der Nähe der Küsten gab es rasch fließende Wasserfälle, die mit solcher Gewalt über Abhänge stürzten, daß haushohe Felsen wie Kiesel umhergeschleudert wurden.

Das waren Tatsachen, die Chadwick auf Grund langer Erfahrung instinktiv kannte und auch studiert hatte. Seinem jungen Assistenten waren die Tiefen noch verhältnismäßig ungewohnt, so faszinierend wie gefährlich.

Ein Augenblick der Unaufmerksamkeit könnte tödliche Folgen haben. Man kann Luft nicht als Luft und Wasser als Wasser ansehen, und diese Verallgemeinerung läßt sträflich viel unter den Tisch fallen. Wer in der dünnen Atmosphäre lebt, kann sich die Dichte der Hydrowelt kaum vorstellen. Das Wasser der Hydrowelt ist nicht das kühle und erfrischende Element, das aus einem Brunnen sprudelt, und auch nicht die sanft wogende Oberfläche mit ihren tanzenden Lichtflecken. Es ist nicht die Flüssigkeit, in der das Baby glücklich planscht, auch nicht der Stoff, mit dem wir kochen. In den tieferen Meeren ist Wasser hart und zäh wie Stahl, und jeder Konstruktionsfehler wird mit einer Implosion bestraft, die die Gewalt eines atomaren Feuerballs hat. Es ist buchstäblich die Substanz einer fremden Welt und muß mit höchstem Respekt behandelt werden.

Wasser ist achthundertmal dichter als die dickste Luft, die wir auf der Oberfläche dieses Planeten atmen. Seine Viskosität ist fünfzigmal größer als die der Luft. Diese Zahlen sind gedanklich kaum zu fassen. Man stelle sich einen Menschen vor, der durch dickes, klebriges Öl zu laufen versucht. Das dickste Öl ist spinnwebdünn, wenn man an den Druck denkt, der tief im Ozean überall herrscht.

Wenn Menschen ihre großartigen Fahrzeuge durch diese unglaubliche Flüssigkeit steuern, dürfen sie nie die Eigenschaften ihres Widersachers vergessen, der nur darauf wartet, sie zusammenzupressen.

Matthew Chadwick und Larry Templeton fanden sich ruhig mit diesen Vorstellungen ab, ganz wie ein Fallschirmspringer, der im freien Fall spürt, wie erstaunlich dünn die Luft ist.

Man hatte nichts unversucht gelassen, um ihre Fahrt durch die bewegten und gefährlichen Wasser so sicher wie möglich zu machen. Lars Svensen auf der *Windward* in einer Atmosphäre, die im Vergleich wie ein Vakuum erschien, hatte einen komplizierten Computer zur Verfügung, dessen Speicher alles enthielt, was man über die unterseeische Welt wußte.

Im Augenblick nahm das Meer den kleinen künstlichen Splitter, der seine Tiefen sondierte, noch gleichgültig hin.

Lars Svensen wollte noch ein paar letzte Worte sagen. Er warf einen Blick auf die Anzeigegeräte, die angaben, was eben mit dem U-Boot geschah, das unter ihm in die Tiefe fuhr.

»Wir werden wahrscheinlich bald eine Verzerrung bekommen, Matt. Ich wollte Ihnen nur noch einmal sagen, daß Sie am besten eine sprudelnde Ölquelle entdecken. Die Mannschaft meint, sie könnte eine Prämie brauchen, und wir wissen ja alle, daß irgendwo da unten Öl ist.«

Ein leises Lachen erreichte Svensens Ohr. »Wenn es welches gibt, werden wir es finden, alter Junge«, erwiderte Chadwick fröhlich. »Und wenn es irgendwo ist, dann in dem Graben unter uns. Ich –«

Stille. Die Worte brachen plötzlich ab, und Svensen spannte sich unwillkürlich.

»Matt«, sagte er. Seine Stimme blieb ruhig. Eine Unterbrechung der Verbindung konnte Schwierigkeiten bedeuten. »Matt,

Sie waren weg. Hören Sie mich?«

Chadwick hörte Svensen. Im Augenblick war seine Aufmerksamkeit auf den Schirm des Sonars gerichtet. Chadwick sprach nicht mehr mit Svensen, sondern mit Templeton neben sich. Glücklicherweise war die Verbindung nicht unterbrochen, und Svensen an der Oberfläche konnte dem Gespräch der beiden Männer zuhören.

Chadwick klopfte gegen den Plexiglasschirm des Sonars. Die flüssigen Kristalle leuchteten an verschiedenen Punkten auf und bildeten ein Muster, das sie überhaupt nicht erwartet hatten. »Schauen Sie sich das an, Larry. Denken Sie an etwas Bestimmtes? Vor allem in dieser Tiefe?«

Templeton schüttelte langsam den Kopf. Er glaubte, das Muster auf dem Bildschirm zu kennen, aber Chadwicks letzte Frage verwirrte ihn. »Nicht hier unten«, sagte er vorsichtig. »Es paßt nicht hierher.«

Die Leuchtflecken wurden heller. Chadwick zeigte mit seiner Pfeife auf sie. »Etwas Großes«, sagte er ruhig. »Es ist einfach viel zu groß, verdammt noch mal«, fügte er plötzlich lauter hinzu. Er traf eine Entscheidung. »Scheinwerfer und Kameras fertig machen. Dann den Bug durchsichtig machen.«

Templetons Finger glitten über die entsprechenden Hebel. Die gesamte Frontseite des U-Bootes bestand aus einem Kunststoff, so hart wie der härteste Stahl, der durch eine Änderung der elektrischen Spannung, die an eine Zwischenschicht flüssiger Kristalle angelegt war, durchsichtig gemacht werden konnte. Durch einen Knopfdruck wurde der gesamte Bug zu einem Fenster. Und als er jetzt durchsichtig war, erblickten sie nur Dunkelheit und schwache, verzerrte Spiegelungen ihrer selbst. Doch jedes Licht, das in der absoluten Finsternis auftauchen würde, müßten sie sehen können.

Chadwick konnte jetzt Svensens wiederholte Rufe nicht mehr übergehen. Er löste sich von den Dingen, in die er eben vertieft gewesen war. »Lars, entschuldigen Sie die Verzögerung. Wir haben ziemlich große Objekte auf dem Sonar. Sie sind anscheinend viel zu groß für das, was in dieser Tiefe zu erwarten ist. Was zeigen Ihre Instrumente droben an?«

Svensen seufzte erleichtert auf. »Matt, wir können Ihnen nicht helfen. Sie sind unterhalb einer Schicht, die alles streut, vielleicht eine Temperaturinversion. Ich weiß nicht. Wir haben auch Objekte, aber die sind nicht deutlich. Der Größe nach sieht's nach Walen aus, nach großen sogar, aber schließlich wissen wir beide, daß das bei der Tiefe nicht –«

»Verdammt!«

Chadwicks Ausruf brachte Svensens Schädelknochen beinahe zum Dröhnen. Tief unten waren Chadwick und Templeton auf etwas weiteres gestoßen, auf den Orientierungssinn der Tiefe, auf den Schall, das biologische Sonar der Tiefseegeschöpfe.

»Matt, was ist los?«

»Lars, die sehen auf dem Bildschirm nicht nur wie Wale aus, sondern –«

Svensen bemerkte, wie erregt Chadwicks Stimme klang, und das sagte ihm mehr als Worte. Dieser alte Seebär regte sich nur äußerst selten auf.

»Mein Gott«, ertönte wieder Chadwicks Stimme, »es sind Wale!«

Svensen lauschte. Chadwick und Templeton tauschten blitzschnell ihre Gedanken aus.

»Das ist doch unmöglich«, sagte Templeton. »Matt, schauen Sie sich den Tiefenmesser an. Wir sind fast zweitausend Meter tief. Hier unten gibt es keine Wale, und dann der Bildschirm. Da draußen ist irgendeine Art Formation.«

»Weiß ich, weiß ich«, erklang Chadwicks Stimme, und Svensen konnte ein leichtes Lachen ausmachen. Chadwick mochte sich tödlichen Gefahren gegenübersehen, er versuchte immer, mit Humor darauf zu reagieren. Das war typisch für den großen, scheinbar zarten Wissenschaftler.

Chadwick klopfte Templeton auf den Arm, und der junge Mann war überrascht, wie heiter Chadwicks Gesicht wirkte. »Das Wort unmöglich können Sie sich ruhig ersparen, Larry«, wies ihn Chadwick sanft zurecht. »Richten Sie Ihre Aufmerksamkeit auf das, was sich jetzt hier zeigt. Betrachten Sie den Bildschirm, und beziehen Sie sich nur auf ihn. Ich vermute, es handelt sich entweder um große Blauwale oder Pottwale.« Etwas auf dem

Bildschirm kam ihm bekannt vor. »Ich tippe auf Pottwale.«

Das Meer bestätigte ihn. Er hatte kaum zu Ende gesprochen, da ertönten die Rufe großer Wale aus den Lautsprechern, rasche, hohe Schnalzlaute, tief stöhnende Schreie.

»Da! Hören Sie es? Mein Gott, Pottwale! Das ist ihr Schlachtruf! Den kenne ich genau!«

Templeton hatte schon eine Leuchtbombe losgeschickt, und in dem hellen Licht konnte er riesige Schatten erkennen, die sich unerbittlich auf sie zu bewegten. Man konnte noch nichts deutlich erkennen, aber was zu sehen war, genügte, um Templeton zu alarmieren. Er ging auf volle Kraft voraus, und im U-Boot brummte es laut, als die Hydrojets schneller wurden. Das kleine Schiff beschleunigte so stark, daß es sie in die Sitze drückte. Templeton ging auch geschickt auf steileren Tauchwinkel und steuerte gleichzeitig nach links.

Hoch über ihnen registrierten die Anzeigegeräte die Höchstgeschwindigkeit und das Fluchtmanöver. Svensen gab sofort Alarm für das ganze Schiff. Die Männer der *Windward* rannten auf ihre Stationen, und Svensen wandte sich an einen Brückenoffizier.

»Ich hab' keine Ahnung, was da unten vor sich geht. Wale oder was. Aber sie haben Schwierigkeiten. Ich brauche ihre genaue Position. Schicken Sie einen Nachrichtentorpedo so nahe wie möglich an ihnen vorbei, und zwar mit der Aufforderung, sofort aufzutauchen. Los, Mann!«

Der Ingenieur winkte Svensen zu sich. Svensen sah mit ihm auf eine elektronische Karte des Gebiets. Ein kleines gelbes Licht blinkte. Es gab die Position der *Sea Search* an. Das gelbe Licht beschrieb eine Kurve.

Der Ingenieur sah auf. »Sie tauchen und machen eine Kurve nach links. Größtmögliche Beschleunigung.«

»Verdammt, da ist etwas hinter ihnen her.« Svensen ging zu seinen Instrumenten zurück und sagte laut in sein Mikrophon: »Chadwick, bitte melden. Antworten Sie.«

Die Stimme wurde im U-Boot nicht beachtet. Chadwick und Templeton starrten erstaunt und mit wachsender Furcht auf die großen Schatten, die auf sie zurasten. Templeton schaltete die

Scheinwerfer ein, und die Finsternis wurde heller.

»Meine Güte, es muß ein Dutzend sein!« Templetons Schrei verlangte keine Erwiderung. Aus einer einzigen Richtung kam ein Dutzend auf sie zu. Das Pfeifen der großen Geschöpfe war so intensiv, daß man meinen konnte, hundert von ihnen würden sich nähern.

Und dann war eines so nah, daß man im starken Licht jede Einzelheit erkennen konnte. Ein Auge starrte in die Scheinwerfer, das Maul war leicht geöffnet und zeigte die gewaltige Reihe der Zähne. Das Geschöpf schoß auf sie zu und schien den Ozean zu füllen. Templeton konnte gerade noch den Knopf mit der Aufschrift ›Computergesteuertes Auftauchen für den Notfall‹ drükken. Mit diesem Handgriff übernahm das elektronische System des U-Bootes das Kommando.

Es war im letzten Augenblick geschehen. Der Zusammenprall des großen Pottwales mit dem U-Boot ließ beide Männer ohnmächtig werden.

3

Kapitän Arnold Switek von der U.S. Marine stand geduldig vor dem breiten Nachrichtencomputer, der eine Wand des großen Büros einnahm. Er starrte auf eine polierte Metallfläche, in der sich die Fenster des Büros und der Blick auf Pearl Harbor spiegelten: Gebäude, Kräne, Schiffe an den Kais, Grünflächen und Bäume und die unvermeidlichen libellenförmigen Hubschrauber vor weißen Wolken. Der Computer gab ein Lichtsignal und stieß ein bedrucktes Blatt aus. Switek überflog die Mitteilung, wandte sich um und ging zu einem Schreibtisch, auf dem das Modell eines Dreimasters und andere Erinnerungsstücke an eine längst vergangene Epoche standen. Hinter dem Schreibtisch saß Vizeadmiral Timothy S. Haig und sah Switek bewegungslos an.

Dann kniff Tim Haig die Augen zusammen, was sein wettergebräuntes Gesicht noch faltiger erscheinen ließ, und biß in die kalte Zigarre, die in seinem Mund steckte. Switek hielt ihm das

Blatt entgegen.

Haig rührte sich nicht. »Lesen Sie«, sagte er rauh.

»Habe ich schon, Sir.«

»Und?«

»Es ist kaum zu glauben.«

»Dasselbe wie vorhin?«

»Ja, Sir.«

Haig schnob verächtlich und ungläubig zugleich. Er setzte sich auf und brummte: »Also, ich glaube die Geschichte nicht. Seit dreißig Jahren fahre ich zur See, auch in U-Booten, und dieser Bericht enthält nur Dinge, die ein Mann mit gesundem Menschenverstand nicht für wahr halten kann.«

Er stand auf und ging erzürnt zu einem Fenster, legte die Hände auf den Rücken und starrte auf den Marinestützpunkt hinaus.

»Glauben *Sie*, was da steht, Arnie?«

»Ich weiß nicht, Admiral. Es liest sich verrückt.«

Haig fuhr herum. »Es *ist* verrückt!« Er zeigte auf den Computer. »Geben Sie über Satellit: Ich möchte Chadwick auf der *Windward* sprechen.«

Switek drückte die entsprechenden Knöpfe des Computers. Haig sah ihm zu. Arnie konnte die Finger geschickt wie eine Sekretärin oder ein Buchhalter über die Tasten fliegen lassen. Der Admiral las den Bericht noch einmal durch, während sein Helfer die Verbindung zu dem Schiff vor den Aleuten herstellte. Switek deutete auf das blinkende Telephon auf Haigs Schreibtisch.

»Es geht nicht, Sir«, sagte Switek. »Dr. Chadwick steht noch unter Einfluß von Beruhigungsmitteln. Übergeben hat er sich nicht, trug aber Prellungen und einen Schock davon. Er wird frühestens in sechs Stunden –«

»Der alte Narr! Sein ganzer Bericht ist lächerlich! Wer hat schon einmal gehört, daß in zweitausend Metern Tiefe Pottwale auftauchen? Als ob das noch nicht genügte . . .« Haig schwieg, zerriß das Computerblatt und holte tief Luft. »Sein Bericht sprach davon, daß die Wale in einer Art Formation gemeinsam vorgegangen sind. Alles andere könnte ich noch glauben, aber das schlägt dem Faß den Boden aus.«

Switek sagte: »Sir, wenn Sie gestatten . . .«

»Tun Sie nicht so militärisch, Arnie.«

»Was Sie eben sagten, bezieht sich auf eine Äußerung Svensens von der *Windward*. Er stellte alle Informationen zusammen, die er von Chadwick bekommen konnte, als die *Sea Search* noch unter Wasser war. Das Sonar deutete auf eine Gruppierung der Wale, und vielleicht war das Wort Formation gar nicht beabsichtigt –«

»Wie erklären Sie dann die zweitausend Meter?«

»Sir, Sie wissen, daß Chadwick kein Idiot ist. Er hat so viel Salzwasser in seinen Adern wie Sie. Er ist seit langem der leitende Kopf des Ozeanographischen Instituts, und was die Tiefen der Meere angeht, ist er der beste Wissenschaftler weit und breit.«

Haig winkte ab. Switek wartete. Dann kam endlich der erwartete Seufzer vom Admiral. »Weiß ich«, sagte Haig ruhig. »Ich weiß, daß er der Beste ist. Das ist aber alles so wichtig, daß ich nicht die kleinste Fehlinformation durchgehen lassen kann. Ich –«

Er brach ab, zündete seine Zigarre an und stieß eine dicke Rauchwolke aus. Es handelte sich um ein Ritual, das Switek gut kannte. Die Zeit der Entscheidung war da.

»Also schön, Arnie«, fuhr Haig fort. »Angenommen, die Berichte von Svensen entsprechen der Wahrheit. Demnach wurde das Kleinst-U-Boot recht arg gebeutelt. Beschädigungen innen und außen, und das bei einem Boot, das darauf eingerichtet ist, dem Druck in über 12 000 Metern Tiefe standzuhalten. Wichtiger ist aber der Teil des Berichts, in dem über die Tiere gesprochen wird. Wenn, und hinter diesem Wenn steht ein dickes Fragezeichen, wenn Svensen Informationen weitergab, die richtig sind, dann gibt es jetzt das Problem Pottwale, die tausend Meter tiefer tauchen können, als wir je dachten, und noch dazu in einer Gruppe und –«

»Entschuldigen Sie, Sir, der Bericht enthält noch etwas, das wir nicht übersehen dürfen. Svensen sagt auch, daß die Rufe der Wale auf intelligente Verständigung unter ihnen schließen lassen.«

»Wir wissen, daß sie Intelligenz besitzen«, sagte Haig. »Wir haben selbst Verbindung mit ihnen aufgenommen.«

»Das meinte ich nicht, Admiral. Svensen sagt klar, daß die Sonarsignale eindeutig aggressiv waren.« Switek schwieg, als müsse er einen unangenehmen Gedanken zuerst zu Ende denken. Dann fuhr er fort: »Das hieße also, die Pottwale hätten bei dem Angriff auf das U-Boot wirklich zusammengearbeitet.«

Zu Switeks Überraschung nahm Haig die Worte ruhig auf.

»Das«, sagte der Admiral, »ist das Wildeste an der ganzen Sache. Es stinkt in seiner Unmöglichkeit zum Himmel, und trotzdem kann ich nicht bestreiten, daß der Bericht in sich zusammenhängend ist. Andererseits läuft er allem zuwider, was wir über diese Tiere wissen.«

Switek nickte. »Ich wünschte, ich könnte in dem Bericht etwas finden, gegen das Einwände zu erheben wären, aber es gelingt mir nicht. Ich habe außerdem meine eigenen Untersuchungen angestellt.«

»Die dramatischen Pausen können Sie sich schenken«, sagte Haig und warf ihm einen strengen Blick zu.

»Ja, Sir. Wie Sie wissen, sind an Bord der *Windward* Leute vom Ozeanographischen Institut wie auch Männer unseres eigenen Tiefseeprogramms. Wir haben Meldungen von beiden Gruppen, und beide besagen, daß das U-Boot genau 253 Seemeilen westlich von Amchitka in die Tiefe tauchte. Alles schien völlig in Ordnung zu sein –«

»Es war nicht alles in Ordnung, Kapitän«, sagte Haig. »Sie wissen doch, warum Chadwick mehr als achttausend Meter tief in den Aleutengraben hinabsteigen wollte?«

»Natürlich, Sir. Wir haben eine gute Chance, dort ein großes Erdöllager zu finden.«

»Chance? Wir *müssen* dieses Öl finden. Wir liegen nicht einmal mehr im Wettstreit mit Rußland, ganz gleich, was man bei uns oder bei denen in der Öffentlichkeit denkt.«

Switek runzelte die Stirn. »Ich verstehe nicht, Sir.«

»Wir können es uns nicht leisten, uns wegen der Ölreserven zu bekriegen. Wir brauchen das Öl so dringend, daß wir uns nicht mehr streiten können, wem was wo gehört. Arnie, es ist fünf Jahre her, seit wir diesen Atomschlag hatten. Der eigentliche Krieg dauerte etwa eine Woche. Und was geschah damals? Wir hatten Angst, die Russen könnten die arabischen Ölfelder kriegen, und die Russen dachten dasselbe von uns. Und so haben wir diese Felder mit Erdbebenbomben zugedeckt.«

Switek nickte mit finsterem Gesicht. »Ja, Sir, und die haben das gleiche gemacht.«

»Genau, und so haben wir jetzt die größte radioaktive Wüste der Welt. Ein paar Millionen Araber mußten dran glauben, Millionen wurden verwundet, und das Feuer dort brannte fast zwei Jahre lang, weil sich ihm niemand nähern konnte. Für beide Seiten eine radioaktive Hölle. Der Krieg ging noch ein paar Monate weiter, aber das waren im Grund nur noch Geplänkel, und wir alle wußten Monate vor der Vertragsunterzeichnung, daß der Krieg gelaufen war.«

Haig stand auf, trat an eine Wand und drückte auf einen Knopf. Ein leuchtender, dreidimensionaler Globus kam in Sicht. Er wandte ihnen die Pazifikseite zu. Haig zeigte auf bunte Punkte und Markierungen.

»Hier liegt unser Problem, Arnie. Chinesische U-Boote. Chinesische Kriegsschiffe. In dem ganzen Ozean Chinesen über und unter Wasser. Die Russen und wir waren so eifrig damit beschäftigt, uns gegenseitig fertigzumachen, daß wir die Chinesen übersehen haben. Und jetzt sind sie am Zug. Sie sind überall hinter dem Öl her, und die hören erst auf, wenn sie die Oberhand haben.«

Die beiden sahen sich an, und dann sagte Switek: »Glauben Sie, daß die Chinesen an dieser Sache mit Chadwick beteiligt sind?«

»Sie meinen die Wale?«

»Ja, Sir. Wir können seit Jahren mit Delphinen und vor allem den Schwertwalen umgehen. Die Chinesen auch. Ich frage mich, ob es ihnen gelungen ist, die großen Wale unter Kontrolle zu bekommen.«

»Es ist alles möglich, Arnie. Bei den Pottwalen ist es jedoch nicht so einfach. Die sind verteufelt aggressiv, sind kämpferisch, haben aber nicht die intelligenten Instinkte der Buckel- oder Blauwale. Und sie lieben ihre Unabhängigkeit. Wir müssen also noch eine andere Möglichkeit in Betracht ziehen. Können Sie sich denken, welche?«

»Beim besten Willen nicht, Sir.«

»Vielleicht ist Chadwicks Boot gar nicht von Walen angegriffen worden. Vielleicht war es ein U-Boot, das Größe und Form eines Wales hatte. Bioenergetische Systeme, Antrieb durch Flossen, Kunststoffhaut, aber alles künstlich. Man kann Walsignale aussenden, so daß Chadwick und Svensen oben glauben mußten, es handle sich um Walrufe. Aber solange wir hier herumsitzen, können wir gar nichts klären.« Haig drehte sich plötzlich um und zeigte mit dem Finger auf seinen Helfer.

»Jetzt werden Entscheidungen getroffen, Kapitän. Wir machen folgendes: Unsere Leute sollen eines der *Swimmer*-Boote in eine C-14 laden und das Ding direkt nach Amchitka fliegen. Holen Sie Ritter. Er soll sich seine Mannschaft selbst aussuchen. Geben Sie ihm alles, was er haben will. Das Boot muß aber heute noch in der Luft sein.«

Switek hielt die Luft an und atmete dann langsam aus. »Ja, Sir.«

»Morgen verläßt ein bewaffnetes Schiff Amchitka. Die sollen Schritt für Schritt wiederholen, was Chadwick mit seinem Boot gemacht hat. Geben Sie alles in den Computer ein. Der Vorgang wird bis in die Einzelheiten wiederholt. Und man soll uns alles, was passiert, melden, und zwar während es passiert. Ich möchte alles direkt in dieses Büro übertragen haben.«

4

Pilot und Kopilot hatten einen glatten Start hingelegt, und nicht viel später hatte der automatische Pilot die Führung übernommen. Alles lief wie gewohnt, und die Besatzung konnte sich entspannen. Ihre Ladung ließ jedoch keine rechte Ruhe unter ihnen aufkommen. Der Pilot, Oberstleutnant Hughes, nippte an seinem Kaffee und warf einen Blick auf seinen Kopiloten. Major Bagwell nickte. Die Frage hatte unausgesprochen zwischen ihnen gegangen, seit sie ihr Flugzeug betreten und die streng geheime Ladung gesehen hatten.

»Ich hab' von den Dingern schon gehört, aber das hier schlägt alles.« Hughes hielt seine Tasse vorsichtig von sich weg, während das Flugzeug leicht von Turbulenzen geschüttelt wurde.

Der Bordingenieur beugte sich vor. »Ja, wer würde uns glauben, daß wir in dreizehntausend Metern Höhe ein U-Boot mit uns führen?«

Hughes drehte sich in seinem Sitz um und blickte durch die offene Tür in den weiten Laderaum. »Die Blechbüchse kann mir gestohlen bleiben. Habt ihr euch mal den Haufen angeschaut, der das Blechding begleitet?«

Bagwell lief es kalt über den Rücken. »Ja, ja«, sagte er nach einer Pause, »das sind Killer. Jeder von ihnen.«

Er hatte recht. Es waren Killer, und sie blickten auf, dreißig Meter entfernt, und starrten die Flugzeugbesatzung durch die Tür an. Sie saßen oder standen um das lange, schlanke U-Boot herum, das in der C-14 festgezurrt war. Zwölf Männer. Vier von ihnen gehörten zur Besatzung des düsteren U-Boots mit dem Namen *Swimmer IV*, und acht waren Wachtposten mit Maschinenpistolen, die auf das Killer-Boot aufpaßten. Den Piloten hatte man gesagt, daß die Waffen geladen und schußbereit waren.

Man hatte ihnen klare Befehle erteilt. Sie sollten die Ladung zum Flugplatz, der ihnen gesagt worden war, bringen. Sie sollten sich dem U-Boot nicht nähern, den Marineleuten an Bord keine Fragen stellen, niemandem sagen, was sie an Bord gehabt hatten.

Bagwell hörte einen Summton und warf einen Blick auf die Instrumente. »Dreizehntausend«, sagte er leise.

Hughes nickte stumm. Die bewaffneten Männer im Rücken machten ihn nervös. Er wollte den ganzen Haufen so rasch wie möglich aus dem Flugzeug haben. Der Computer zeigte an, daß sie Rückenwind hatten. Das freute Hughes. Das würde die Flugzeit verkürzen.

Der Marineminister Frank Cartwright lehnte sich in seinen Ledersessel zurück. Er befand sich in New Washington, neunzig Kilometer von dem radioaktiven Schutt entfernt, der einst die Hauptstadt des Landes gewesen war, und sah auf das Videophon, das vor ihm auf dem Schreibtisch stand. Sein Büro lag hundertdreißig Meter unter der Erdoberfläche, durch Stahl, Beton, Wachanlagen, Filter und Abfangvorrichtungen geschützt. Cartwright kannte jedoch keine Platzangst.

Er richtete seine Aufmerksamkeit auf das Gesicht, das der Bildschirm vor ihm zeigte. Cartwright sah den Mann, dessen Titel ›Kommandeur des Pazifiks‹ lautete. Vizeadmiral Timothy Haig war ein alter Freund, und seinem Gesicht war anzusehen, daß der Anruf dringend war. Sie tauschten Liebenswürdigkeiten aus, und dann war Cartwright beim Thema.

»Der Bericht Chadwicks ist unglaublich«, sagte er.

Tim Haig in Pearl Harbor, über der Erde, nickte und freute sich über die Brise, die durch sein Büro wehte. Er antwortete nicht sofort, sah sich immer noch Cartwrights Gesicht auf seinem Schirm an. Der Marineminister war in mindestens zwei Kriegen bös verwundet worden, und seine Leidensgeschichte stand ihm ins vernarbte Gesicht geschrieben.

»Ja, Sir, das ist er«, erwiderte Haig schließlich. »So unglaublich, daß wir ihn nicht einfach abtun können, so gern ich die ganze Sache als Quatsch ansehen würde.«

»Ich nehme an, Sie haben Ihrem Urteil schon Taten folgen lassen.«

Timothy Haig mußte bei diesen Worten fast lachen. »Ja, Sir, habe ich. Ich habe *Swimmer IV* per Flugzeug nach Amchitka schaffen lassen. Sie wird in ungefähr zwölf Stunden im Wasser sein. Sie hat Befehl, Chadwicks Fahrt so genau wie möglich nachzuvollziehen und zu versuchen, die Aufmerksamkeit dessen auf sich zu ziehen, was Chadwick angegriffen hat.«

»Und dann, Tim?«

»Die sollen bis ganz hinunter zum Meeresgrund.«

»Ich habe den ganzen Bericht gelesen, Tim.« Der Minister schwieg kurz und wog dann seine Worte genau ab. »Glauben Sie wirklich, daß die Chinesen etwas damit zu tun haben?«

Er sah, wie Haig eine kalte Zigarre von Mundwinkel zu Mundwinkel rollte.

»Sir, das Boot wurde angegriffen«, sagte Haig vorsichtig. »Ich weiß nicht, von wem oder wie, doch über den Vorfall selbst kann man nicht einfach hinweggehen.«

»Natürlich nicht«, erklärte Cartwright und nickte. »Es gab nur eines zu tun: das Boot hinschicken.«

»Danke, Sir.«

Cartwright beugte sich vor, als wolle er instinktiv den Abstand zwischen sich und Haig verringern. »Tim, mir ist wichtig, was Sie für ein Gefühl haben. Lassen Sie Ihr Amt einmal aus dem Spiel. Wie ist Ihnen im Innersten zumute? Können Sie irgend etwas zu Chadwicks Bericht über die Wale beitragen?«

Haig schüttelte den Kopf. »Ich wollte, ich könnte das, Frank. Die Angaben, die wir haben, sind widersprüchlich. Wir hören zum ersten Mal, daß Pottwale zweitausend Meter tief tauchen können, und eine Formation bilden ist etwas anderes als in einer Herde schwimmen. Ich weiß eigentlich nur, daß das Kleinst-U-Boot angegriffen wurde, und Chadwick behauptet, das hätten Pottwale getan, die gemeinsam vorgingen und Angriffslaute ausstießen und schließlich absichtlich das Boot mit Chadwick und Templeton an Bord rammten. Mehr kann ich nicht sagen. Es gibt zu viele Wenn und Aber.«

Mehr war wirklich nicht zu sagen. Cartwright freute sich gar nicht, daß es keine Anhaltspunkte gab, die sicher auf die Chinesen gewiesen hätten, doch da war im Augenblick so gut wie nichts zu machen. »Na schön, Tim«, sagte er abschließend, »Sie halten mich auf dem laufenden.«

Das große Transportflugzeug schlüpfte durch eine dünne Wolkenbank, und das schrille Heulen der gedrosselten Triebwerke war im Flugzeug recht laut zu hören. Das Meer in der Tiefe war von kleinen Inseln, von Licht und Schatten durchsetzt. Der Kopilot sagte: »Wir haben Landeerlaubnis und können auf direkten Anflug gehen.«

»Schön«, erwiderte Hughes. »An die Arbeit. Anfangen mit den Checklisten.«

Sie gingen die Prozedur Schritt für Schritt durch, schwebten auf das breite Betonband zu, fuhren die Landeklappen aus und brachten das Flugzeug so sanft zur Erde zurück, als sei es ein Ballon. Als sie ausgerollt waren, stellten sie fest, daß sie sich auf einem Marineflugplatz befanden und die Marine das Kommando übernommen hatte. Bewaffnete Fahrzeuge begleiteten sie zu einem Stellplatz in der Nähe eines Kais, und in den Kopfhörern meldete sich eine Stimme.

»Besten Dank, meine Herren. Lassen Sie Ihre Maschinen laufen und Ihre Besatzung auf Ihren Plätzen. Wenn Sie Ihre Bugluken öffnen, können wir ausladen, und Sie können sich auf den Rückweg machen.«

Sie sahen sich an und zuckten die Schultern. Man hatte ihnen unmißverständlich befohlen, genau das zu tun, was ihnen der Tower von Amchitka sagen würde. Die Bugluken wurden also entriegelt, die große Rundung klappte in die Höhe. Das Flugzeug bebte leicht, als das Unterseeboot und seine Mannschaft den Laderaum verließen.

Dann wurde ihnen befohlen, die Ladeluken zu schließen, und als sie wieder Sicht nach vorn hatten, hatten Unterseeboot und Mannschaft schon den Kai verlassen.

»Die Sache stinkt«, murmelte Kapitän Sam Duncan. Er stand auf der Brücke seines Doppelrumpfschiffes und betrachtete das U-Boot. Seine Mannschaft hatte ihm gesagt, daß es sich um ein Unterseeboot handelte. Es war mit Segeltuch umhüllt und zwischen den beiden Rümpfen festgezurrt. Duncan mochte die Geheimniskrämerei nicht; nicht wegen der Sicherheitsvorkehrungen, sondern weil er der Kapitän dieses Schiffes war. Und er wußte nicht, worum es ging und wer an Bord kam. Er sah sich die Wachmannschaft an, die bis zu den Zähnen bewaffnet war und vier Männer in seltsamer dunkler Kleidung umgab. Es waren eindeutig keine Uniformen. Als sie an Bord waren, riegelte die Wachmannschaft den Kai ab, damit sich niemand dem Katamaran nähern konnte. Auch das gefiel Sam Duncan nicht.

Er studierte die vier Männer, die offenbar die Besatzung des langen Bootes waren, das der Katamaran aufgenommen hatte. Drei Weiße, ein Schwarzer, alle kräftig und selbstsicher. Sie hatten Namensschilder an der Brust, und er hatte sich die Namen schon angesehen. Sie sagten ihm jedoch nichts. Vielleicht waren es nicht einmal die richtigen Namen. Der eine mit Namen Ritter war anscheinend der Leiter oder Vorgesetzte, aber Duncan war sich dessen nicht sicher, da sie keine Rangabzeichen trugen. Die beiden anderen Weißen hießen Tobias und Young, der Schwarze Sanford. Als die Bordsprechanlage ertönte, wußte er, daß Ritter der Leiter war.

»Ein Mr. Ritter möchte den Kapitän sprechen.«

Duncan kniff die Augen zusammen. Mr. Ritter?

Einige Augenblicke später standen sie sich gegenüber, und Duncan war wieder so verwirrt wie zuvor. Ritter war ein zäher Bursche, der keinen Unsinn duldete und dessen Sätze so knapp waren wie der kurzgeschnittene Bart des Mannes. Duncan wartete auf einen Hinweis, der die Ungewißheit lösen würde. Ritter schwieg.

»Ich hoffe, Sie können mir sagen, was das alles zu bedeuten hat«, begann Duncan schließlich.

Der Mann vor ihm überreichte ihm mit ausdruckslosem Gesicht, jedoch nicht unhöflich, einen Umschlag.

»Ihre Befehle, Sir.«

Duncan warf einen Blick auf den versiegelten Umschlag. Seine Augen verengten sich. »Das ist alles? Nur dieser Umschlag?«

Ritters Gesicht blieb unbewegt. »Ich habe Befehl, mich an Bord dieses Schiffes zu begeben und Ihnen persönlich diesen Umschlag zu übergeben«, sagte er.

Duncan sagte ärgerlich: »Was ist Ihr Dienstgrad, Ritter? Sie sind kein ›Mister‹.«

»Sir, das steht alles in dem Umschlag. Kapitän, ich schlage vor, wir gehen in Ihre Kabine, und Sie lesen, was sich in dem Umschlag befindet.«

Duncan riß die Augen auf. »Sie schlagen mir etwas vor?«

Ritter sagte: »Sir, ich könnte Ihnen den Befehl geben.«

Duncan schluckte seinen Ärger hinunter. Er wußte, wann er aufhören mußte. »Kommen Sie«, sagte er und ging voraus.

Sie waren auf offener See, und der Doppelbug des Katamarans pflügte mit Höchstgeschwindigkeit durch das Wasser. Kurs auf die Stelle, an der Chadwick und Templeton in die Tiefe getaucht waren. Ritter stand seitlich hinter Duncan. Beide Männer blickten in den rasch dunkel werdenden Himmel.

»Wie lange noch?« fragte Ritter leise.

Duncan wandte sich nicht um. »Ich schätze null zwei null null.«

»Schön. Dann wird der Mond tief stehen.«

Zwischen dem Doppelrumpf machten sich Männer an dem Unterseeboot zu schaffen. Ein Offizier kam auf die Brücke und sprach mit Duncan.

»Ihre Männer melden, daß sie bereit sind«, sagte Duncan zu Ritter.

»Danke«, antwortete Ritter kurzangebunden und verließ die Brücke.

Duncan übergab seinem Ersten Offizier das Brückenkommando und ging ihm nach. Er sah zu, wie die Männer *Swimmer IV* durch eine enge Luke betraten. Tobias war der letzte, und er verabschiedete sich mit einem Grinsen von der Mannschaft des Katamarans. Dann fiel die Luke mit einem metallischen Geräusch zu.

Auf ein Signal von der Brücke hin ließ die Besatzung das U-Boot ins Wasser, das sich mit leichten Wirbeln über der glatten Form schloß. Noch etwa eine Minute liefen die Trossen aus den Winden und wurden dann plötzlich schlaff. Duncan starrte ins Leere. Das Boot war verschwunden.

Ritter blickte durch eine Luke ins schimmernde Mondlicht hinauf. Die Rümpfe des Katamarans lagen verzerrt im lichten Wasser und lösten sich bald auf, als sie tiefersanken. Ritter ließ den Antrieb langsam anlaufen und probierte das Schiff erst einmal aus, wie er das immer machte, wenn er eine Tauchfahrt einleitete, und die vier Männer gingen mit der leisen Geschicklichkeit langer Erfahrung an ihre Arbeit. Im hinteren Teil des U-Bootes erklang ein tiefes Brummen, und die Hydrojets verstärkten ihren Schub, während Ritters Hand den Gashebel nach vorn schob. Der Tauchwinkel nahm zu. Zunächst folgte man dem Weg, den Chadwick und Templeton in ihrem Kleinst-U-Boot genommen hatten, doch diesmal wurde das Stück mit anderer Besetzung gespielt. *Swimmer IV* konnte sich wehren.

Ritter sagte die Litanei her, die sie alle so gut kannten. »Auf

Alarmbereitschaft gehen. Bestätigen.«

Tobias antwortete sofort mit seiner melodischen Stimme. »Antrieb, elektrisches Gitter, alle Manövrierhilfen bereit.«

»Sonar, Maser, Bordsprechanlage, Navigation, Autocomputer bereit.« Das kam von Young.

Der Stimme Sanfords war leichte Belustigung anzuhören. Das war immer so gewesen, dachte sich Ritter, als er hörte, wie der Schwarze sich meldete. »Wir haben heiße Dinge in unserem Bauch, Ritter Baby.« Der Mann konnte gut mit tödlichen Waffen umgehen.

Sie glitten stetig in die Tiefe, vier Männer, die zu zweit hintereinander saßen, Ritter links vorn, Tobias zu seiner Rechten, Young hinter Ritter und Sanford mit einem größeren Schaltpult als die anderen hinter Tobias. Sie waren alle Ende Zwanzig, Anfang Dreißig, schlank und kräftig, hatten im letzten kurzlebigen Krieg Kampferfahrung gesammelt. Der lag noch nicht allzu lang zurück und hatte ihnen unauslöschliche Erinnerungen eingeprägt. Sanfords Finger spielten leicht über die Auslöser der Waffen.

»Die Suchtorpedos sind in den Rohren«, sagte er leise. »Waffen mit automatischen Zielsuchgeräten sind bereit.«

Sanford grinste, als sich Ritter umdrehte und ihn anblickte. »Wird vielleicht interessant«, sagte Sanford, »wenn wir ein paar von den chinesischen Walen finden. Du verstehst doch, was ich meine?«

»Chinesische Wale.« Ritter ließ die Worte wirken, warf einen Blick auf die anderen. »Glaubt jemand von euch, daß Wale – Pottwale – wirklich bis auf zweitausend Meter heruntergehen?«

»Ein zweitausend Meter langes Märchen«, lachte Sanford.

»Eins aus Peking«, fügte Tobias hinzu.

Young zögerte. »Ich bin mir nicht sicher. Der alte Chadwick ist der Beste auf seinem Gebiet. Der macht keine Fehler.«

Sanford lachte samtweich. »Er ist Zivilist. Liebt den Frieden mehr als alles andere. Logik, Realität, Vernunft zählen nicht. Er glaubt, die Welt ist flach und alles überschaubar.« Wieder das Lachen, und die Finger glitten über die todbringenden Knöpfe und Hebel. »Mensch oder Tier«, fügte er hinzu, »es ist gleich, was auf uns zukommt.«

Ritter sah sie alle an, einen nach dem anderen, und kein Auge blinzelte. »Ich möchte nicht, daß einer zu früh losballert. Bei diesem Auftrag geht es um mehr, als nur hinunterzusteigen und jemanden zu Brei zu schlagen, wer das auch immer sein mag. Wir können nur raten. Chadwick und sein Assistent sind vielleicht Zivilisten, aber sie sind gute Arbeiter und waren schon hier. Wir halten uns also zurück, machen durch unsere Anwesenheit auf uns aufmerksam und versuchen herauszubekommen, was dem kleinen U-Boot so übel mitgespielt hat. Und wir bringen einen Bericht mit nach Hause. Habt ihr mich alle verstanden?«

Er machte eine Pause und sah Sanford an. »Und du, Killer, hörst mit deinem schießfreudigen Getue auf.«

Sanford lächelte breit und tat so, als sei er beleidigt. »Leute, heute abend haben wir einen Angsthasen zum Boß.«

Tobias schenkte dem Wortwechsel keine Beachtung. Ritters Ton hatte ihn stutzig werden lassen. »Weißt du etwas, was wir nicht wissen?«

Ritter nickte. »Ja. Nach meinem Gespräch mit dem Admiral ging ich runter zum S2 und habe mich bei meinen Freunden ein wenig umgehört.«

»Es zahlt sich aus, Freunde bei der Aufklärung zu haben«, bemerkte Young.

»Und?« drängte Tobias.

»Keine Spur von einem Hinweis, daß im Aleütengraben chinesische Boote arbeiten«, sagte Ritter.

Young zuckte mit den Schultern. »Dann vielleicht die Russen.«

»Und vielleicht«, entgegnete Ritter, »war sich Chadwick wirklich klar, wovon er sprach.«

Sanford zeigte jetzt offen seinen Spott. »Hör auf, Mann, du fängst wieder mit diesen Walen wie –«

Ein Summton unterbrach ihn. In der engen Kabine wurde es still. Young beugte sich gespannt über seine Bildschirme. Er blickte nicht erst auf. »Objekte auf zwei sechs null. Entfernung achthundert Meter, und sie kommen rasch näher.«

5

»Feststellen, worum es sich handelt!«

Ritters Stimme peitschte durch die Kabine. Young war schon dabei, den Computer zu befragen.

»Unser Hirn sagt, es handelt sich um Haie«, sagte Young. »Aber so viele. Das gibt's doch gar nicht, vor allem in der Tiefe.«

»Keine Angst«, meinte Tobias. »Was wollen die schon machen? Uns beißen?«

Ritter achtete nicht auf Tobias und fragte Young: »Größe, Anzahl?«

»Riesenviecher«, erwiderte Young. Er sah sich die Daten an und stieß einen Pfiff aus. »Das Sonar gibt sie zwischen zehn und sechzehn Meter lang an. Und ihre Bewegungen sprechen für Angriffslust.«

Die lockere Stimmung war verflogen. In der Tiefe des Meeres ruft etwas Unerwartetes keine Freude hervor. Es kann den Tod bedeuten. Young ließ einen zweiten Schreckschuß los. »Mehr als hundert von ihnen sind in der Nähe.«

»Wo?« wollte Tobias wissen.

»Sie kommen aus allen Richtungen direkt auf uns zu.«

Ritters Stimme war unverändert. »Machen wir draußen ein bißchen Licht an.«

Sanfords Finger warteten schon und bewegten sich rasch. Er drückte auf Knöpfe, legte Hebel um. Sie spürten ein Zittern, als die schlanken Torpedos aus den kleinen Rohren schossen.

»Zwanzig Sekunden«, verkündete Sanford.

»Tausenddreihundert Meter«, ertönte Youngs Stimme.

»Hier kann es einfach keine Haie geben.« Tobias hatte der Vorfall eher verblüfft als verängstigt.

»Fünf Sekunden«, sagte Sanford. »Gleich wird die Sonne aufgehen.«

Sie blickten durch ihre Luken und Sichtgeräte. Auf allen Seiten von *Swimmer IV* breitete sich in stummen Explosionen Licht aus und erzeugte gespenstisch bleichen Schimmer im dunklen Wasser. Eine zweite Welle Leuchtbomben detonierte etwas näher. Sie konnten jetzt lange Schatten auf sie zurasen sehen.

»Schauen wir uns das Ganze in voller Pracht an«, sagte Ritter.

»Klar«, meinte Young und bediente Hebel.

Das Flüssigkristall zwischen den Kunststoffschichten wurde von Strom durchflossen, und der gesamte Bug wurde durchsichtig. Sie waren jetzt ›außerhalb‹ des U-Bootes. Es war atemberaubend, gerade so, als säße man hoch in der Luft auf dem Flügel eines Flugzeugs.

Tobias sagte mit angestrengter Stimme: »Mein Gott . . .«

Young riß die Augen auf und holte tief Luft. »Nicht zu glauben.«

Jetzt ging es Schlag auf Schlag. Durchs blitzende Wasser schoß ein riesiger weißer Hai mit aufgerissenem Maul auf sie zu und krachte seitlich gegen das Unterseeboot. Der Anblick war schrecklich, und die Männer in der gläsernen Kanzel wurden von instinktiver Angst gepackt, da die großen Zähne gegen eine unsichtbare Wand geprallt waren, die nur Zentimeter von ihnen entfernt war.

Blut färbte das Wasser, als die Zähne brachen. Die Männer wurden heftig geschüttelt, als sich die Haie mit Körpern und Zähnen gegen das U-Boot warfen. Im Lärm der Zusammenstöße hörten sie Young schreien: »Tiefer gehen, verdammt noch mal!«

Ritter wirkte nach außen unbeteiligt, mußte aber wie nie zuvor in seinem Leben die ganze Willenskraft einsetzen, um sich in seinen Urängsten zu beherrschen. Er rief: »Toby, volle Kraft voraus, Nottauchung!«

Tobias stellte den Gashebel auf volle Beschleunigung. Das U-Boot wurde wie ein Jagdflugzeug gesteuert. Es hatte einen Steuerknüppel und Ruderpedale, und Tobias bediente sie geschickt, während die nuklearen Hydrojets aufheulten. Die Beschleunigung drückte sie in ihre Sitze, aber das Boot war noch nicht schnell genug, um den Haien zu entkommen. Wieder schlingerte es wild, als Zähne und Fischleiber gegen die Außenwand prallten.

In dem Lärm war Sanfords Stimme zu hören. »Haltet euch fest!« Seine Finger flogen über die Knöpfe, und eine kleine Wolke Torpedos schoß aus dem Schiff. Sie liefen nicht weit, nur eben weit genug, um das Boot nicht durch Detonationswellen zu gefährden.

Die Torpedos explodierten in verrücktem Stakkato. Licht blitzte plötzlich auf, und die Männer wurden durcheinandergeschüttelt. Tobias spürte, wie ihm Blut aus der Nase rann.

Der Angriff hörte ebenso rasch auf, wie er begonnen hatte. Gerade waren sie noch wütend bekämpft worden, und mit einemmal dröhnte es ihnen nur noch von den verebbenden Explosionen in den Ohren. Sie holten tief Luft, blickten durch den gläsernen Bug und durch die Luken. Young zuckte zusammen. Ein verstümmelter Hai trieb mit heraushängendem Gedärm an ihnen vorbei.

Ritter hatte sich mit zornigem Gesicht halb in seinem Sitz umgewandt. Er zeigte zum erstenmal offen seine Gefühle. In seiner Wut hätte er Sanford am liebsten einen Schlag versetzt. »Weshalb hast du das getan?« schrie er.

Sanfords Grinsen hörte auf, und sein Gesicht wurde schwarzer Stein. »Schau lieber nach draußen.«

»Die verdammten Torpedos waren nicht nötig«, sagte Ritter mit vorwurfsvollem Blick. »Verdammt, du hast dich zu einer Kurzschlußhandlung hinreißen lassen. Die Haie konnten uns nichts anhaben, wir sind schneller als sie.«

Sanford kniff die Augen zusammen. »Mann, das sind Haie. Wieso regst du dich wegen Haien so auf?«

»Ich sagte dir doch, mit diesem schießgeilen Blödsinn aufzuhören«, knurrte Ritter. »Und du wirst erst wieder schießen, wenn ich dir den direkten Befehl gegeben habe. Verstanden?«

Sanford wollte bitterböse werden, doch Youngs Stimme lenkte ihn ab.

»Meine Herren, wir haben wieder Gesellschaft.«

Tobias schüttelte langsam den Kopf. »Du meinst, diese Dinger sind immer noch hinter uns her?«

Young sagte: »Nein, nein, Toby. Der Computer sagt, es sind Wale.« Er drehte an einem Regler, und ein Lautsprecher füllte die Kabine mit Geräuschen. Ihre geschulten Ohren erkannten sofort, daß es sich um die hohen Töne handelte, mit denen große Wale die Entfernungen messen.

Ritter sah seinen Kameraden an. »Ganz sicher?«

»Es sind Wale, Pottwale, und sie stoßen Warnlaute aus. Wegen uns, wie ich hinzufügen möchte«, sagte Young trocken.

»Das ist unmöglich«, sagte Tobias nüchtern. »Wir sind mehr als sechzehnhundert Meter tief.«

Ritter warf einen Blick auf Sanford, der mit spöttischen Augen seine Finger in der Luft über den Knöpfen tanzen ließ. Ritter wandte sich wieder an Tobias. »Geh mit achtzig Knoten hinunter. Tauchwinkel vierzig Grad.«

Eine Weile blieben sie stumm sitzen, spürten, wie sich Beschleunigung und Tauchwinkel änderten, dann befaßte sich Ritter wieder mit der Lage. »Gut, Leute, wir entfernen uns von ihnen. Aber was wir bis jetzt gesehen haben, genügt, um unsere ganze Aufmerksamkeit auf diese Gegend zu lenken. Riesige Haie arbeiten zusammen, als würden sie gelenkt – das ist einfach nicht zu verstehen.« Das U-Boot hatte jetzt eine Tiefe von 2300 Metern erreicht, und die Pottwale waren ihm noch dicht auf den Fersen, fielen aber langsam zurück. Ritter wußte, daß die anderen Männer ebenfalls den Tiefenmesser angesehen hatten.

»Und wir alle wissen«, sagte Sanford langsam, »daß sie nicht 2300 Meter tief tauchen können, nicht wahr?«

»Young, laß eine Meldekugel los!« befahl Ritter. »Gib alles, was bis jetzt aufgezeichnet wurde, hinein und laß sie sofort steigen! Ich möchte, daß die Leute oben alles genau mitkriegen.«

Tobias sah ihn mit einem schiefen Lächeln an. »Das klingt, als ob du glauben würdest, wir kämen nicht zurück.«

Ritter sagte ernst: »Genau.«

Sie warteten stumm, bis Young die Meldekugel fertig gemacht und losgeschickt hatte. Sie verließ den Schiffsrumpf und stieg rasch in die Höhe. An der Oberfläche angelangt, stabilisierte sich die Kugel, fuhr eine Antenne aus und begann mit der Hochgeschwindigkeitsübertragung, wobei das Band wiederholt wurde, wenn es abgelaufen war.

Einige Kilometer entfernt stand Kapitän Sam Duncan auf der Brücke seines Katamarans und starrte in die Dunkelheit. Der Lautsprecher zu seiner Rechten knackte. »Kapitän zum Funkraum. Wir haben eine Meldung vom Boot.«

Der Empfänger verwandelte die Signale in verständliche

Nachrichten. Duncan hörte stumm zu und fluchte leise, als das Band durchgelaufen war. Er stand auf und wandte sich an den Funker. »Sofort über Satelliten weiterleiten! Sie senden, bis Sie eine Empfangsbestätigung haben!«

Tobias ließ seinen Blick über die Instrumente schweifen. Er hatte sich beruhigt. Der wahnsinnige Angriff der riesigen Haie lag weit zurück. Die Besatzung hatte gegessen, hatte sich Flüssigkeiten mit hohem Energiegehalt einverleibt, und sie fühlte sich in Hochform. »Siebentausend«, verkündete Tobias seinen Kameraden. »Tauchgeschwindigkeit wird gedrosselt.«

Ritter sagte wie üblich: »Okay.« Dann wandte er sich an Young. »Der Grund muß jetzt direkt unter uns sein.«

Er wartete auf Bestätigung durch Young. Er hörte nur, wie jemand tief Luft holte. Ritter zeigte ein wenig Ungeduld. »Los, Young, den Mund aufgemacht! Was gibt's?«

Young war zunächst leicht verwirrt gewesen und mochte jetzt gar nicht mehr glauben, was ihm seine Instrumente zeigten. Er sah Ritter an, blickte wieder auf seine Meßgeräte, sah wieder auf.

»Da ist kein Grund«, verkündete er.

Ritter warf einen Blick auf Tobias und Sanford. Die zuckten die Schultern. Er wandte sich wieder Young zu. »Willst du uns das nicht erklären?«

Young war jetzt so angespannt, daß seine Stimme beinahe versagte: »Da ist kein Grund«, wiederholte er.

Darauf folgte erst einmal Schweigen. Dann platzte Ritter heraus: »Los, red schon!«

Young brachte die Worte nur mit Anstrengung über die Lippen. »Da ist kein Grund, verdammt noch mal. Das Sonar . . . es läuft einfach ins Nichts. Ich weiß, daß etwa dreihundert Meter unter uns der Grund sein müßte, aber er ist nicht da.«

Ritter lockerte seine Gurte, um sich Youngs Instrumententisch näher ansehen zu können. Young zeigte auf die Skalen. »Verstehst du, was ich meine. Nach Norden und in Richtung Süden und auch hinter uns ist alles so, wie es auf Karten und im Computer festgelegt ist.«

Ritter zeigte auf ein Anzeigegerät. »Aber unter und vor uns

nicht?«

Young schüttelte den Kopf. »Ich kann 5, 4 Kilometer weit jeden Grund ausmachen, mit Echolot. Aber hier kann ich direkt nach unten gemessen überhaupt nichts feststellen.«

Sanford mischte sich ins Gespräch: »Soll das heißen, daß du in über zwölf Kilometern Tiefe keinen Grund finden kannst?«

»Stimmt«, sagte Young.

»Das ist Wahnsinn. Das ist tiefer als der Marianengraben.«

»Ganz richtig«, brummte Young. »Meine Instrumente sind in Ordnung. Und es ist kein Grund unter uns.«

Ritter war wieder in seinem Sitz und schnallte sich fest. Die anderen folgten seinem Beispiel, als sie sein finsteres Gesicht sahen. »Leute«, sagte er langsam, »die Besprechung ist beendet. Die ganze Tauchfahrt war von Anfang an der reine Wahnsinn.«

Er holte tief Luft, sah seine Instrumente an und warf dann einen Blick auf seine Kameraden. »Alle gut festgezurrt? Schön. Wir steigen runter. Young, laß wieder eine Meldekugel los. Sag genau, wie es steht.«

Tobias meldete Zweifel an. »Kapitän, wir riskieren ganz schön viel. Wir haben keine Ahnung, was da unten wartet.«

»Ganz genau«, sagte Ritter, »du bist im Begriff, ein Pionier zu werden. Runter mit ihr, mein Herr!«

Alles schwieg, während das U-Boot tieferglitt. Mit angespannten Sinnen begann das Team wieder zu sprechen.

»Achttausendfünfhundert«, meldete Young.

»Nur weiter so«, sagte Ritter ruhig.

Vor ihnen tauchte ein farbiges Leuchten auf, war gleich wieder verschwunden. Dann erschienen andere selbstleuchtende Wesen, blitzten auf und verloschen. Young sagte leise: »Zehntausend.«

»Wie hoch ist der Druck?« fragte Tobias.

Bevor jemand antworten konnte, sagte Young in einem Ton, der sie sofort in Alarm versetzte: »Wir kriegen ein Echo vom Grund.«

»Gott sei Dank«, murmelte Tobias. »Ich dachte schon, wir kommen in Afrika raus.«

Young achtete nicht auf ihn. Er war vertieft in die unglaublichen Werte, die seine Instrumente anzeigten. Er sah auf, blickte jeden einzelnen an, bevor er den Mund aufmachte. »Dreitausend Meter unter uns.«

Darauf schwieg man erst einmal. Tobias verdrehte die Augen. »Das wird man uns nie glauben.«

Ritter gab Young ein Zeichen. »Noch eine Meldekugel hinaufschicken!«

»Okay.«

Stumm tauchten sie weiter in die Tiefe und blickten mit äußerster Aufmerksamkeit auf ihre Instrumente.

Dann meldete sich wieder Young. »Mein Gott . . .«

Ritter war ungeduldig und gereizt und stieß hervor: »Laß das religiöse Getue und sag, was los ist!«

Young hatte die Augen aufgerissen. »Eine Kuppel ist es. Meine Güte, ich kann's nicht glauben, aber da ist eine Kuppel. Das ist unmöglich –«

Ritter löste sich aus seinen Gurten und beugte sich über Youngs Schulter. Young zeigte auf den Instrumententisch. »Siehst du? Sie ist kilometerlang, länger als die Reichweite unseres Sonars. Aber schau dir das Echo an. Es sieht aus –«

»Wie sieht's aus, verdammt noch mal?« knurrte Sanford.

»Als ob sie von jemandem erbaut worden ist.«

Ritter behielt einen klaren Verstand. »Weiter Meldekugeln hinaufschicken. Alle neunzig Sekunden, mit allen Daten der Instrumente, wenn sonst nichts vorliegt. Ich weiß nicht, was sich da unten befindet, aber wir lassen jetzt nicht mehr locker. Sanford, du bist wieder dein eigener Herr. Alle Waffen bereitmachen und auf Befehl feuern!«

»Ja, Sir.« Es gab Augenblicke, in denen nicht mehr an Spielchen zu denken war.

»Toby, die Tiefe?«

»Zwölftausend«, antwortete Tobias sofort. »Der Druck, äh, Käptn, jetzt wird's knapp.«

Ritter überhörte die Warnung. »Der Eimer wird's schon aushalten.«

»He, Jungs –«

Sie sahen Young an, der den Blick nicht von seinen Instrumenten gehoben hatte. »Etwas kommt herauf zu uns.«

Ritter sagte wie aus der Pistole geschossen: »Entfernung?«

»Weniger als dreihundert Meter, und es kommt näher.«

Ritter gab Sanford den Befehl, Leuchtbomben und Fernseh-torpedos loszuschicken.

Sanfords Hände glitten über die Knöpfe. Sie spürten den Rückstoß, als die schlanken Torpedos das Schiff verließen, und das Geräusch der Torpedoantriebe drang durch die Wand.

Vor ihnen flackerte ein Fernsehschirm auf, der das Bild zeigte, das ihm vom Fernsehtorpedo über Draht geliefert wurde. Der Schirm war fast völlig dunkel, dann detonierten die Leuchtbomben, brannten gleichmäßig ab und brachten künstlichen Sonnenschein in die Meerestiefe.

»Schlangen!« rief Tobias. »Um Himmels willen, da draußen sind Schlangen!«

»Wir sind zwölftausend Meter tief«, widersprach Young. »Das ist unmöglich.«

»Aale.« Die Ausdruckslosigkeit der Stimme Ritters verblüffte sie. »Das sind Aale, große Biester. Young?«

»Hm, dem Sonar nach sind sie mindestens dreißig Meter lang.«

Sanford riß die Augen auf. »Da, schaut!«

Das Unmögliche war auf dem Bildschirm noch mehr Wirklichkeit geworden. Zwischen den schlanken Körpern der Geschöpfe, die Ritter als Aale identifiziert hatte, waren im zuckenden Licht der Bomben andere Gestalten aufgetaucht. Sie schienen Gliedmaßen zu haben und irgendwie menschlich auszusehen.

Sanford verlor die Fassung. »Wir müssen hier weg!« schrie er. Bevor ihm jemand antworten oder ihn aufhalten konnte, hatte er die Waffen schon abgefeuert.

Ritter schrie zu spät: »Nein, nicht!«

Ein Schwarm Torpedos flog aus dem U-Boot.

Ritter hatte sich halb erhoben. Wie angewurzelt blieb er in der Stellung, machte entsetzte Augen. Nicht wegen der Dinge, die außerhalb des Bootes geschahen, sondern wegen Sanfords Vorgehen. Er blieb so einen endlosen Augenblick, warf sich dann in seinen Sitz, bediente wie ein Wahnsinniger seine Hebel und schaltete das Notaggregat zu den Hydrojets dazu. Der Antrieb heulte auf, und das ganze U-Boot stöhnte bei der Beschleunigung unter diesen Druckverhältnissen. In dieser Tiefe brauchte eine Beschleunigung jedoch ihre Zeit. Jedes Manöver lief nur langsam an, und andere Geschwindigkeit wie andere Richtung waren nur mühsam zu erreichen. Und während all das in quälender Langsamkeit geschah, konnten sie auf dem Bildschirm sehen, daß die großen Aale näher kamen.

Schirm und Bild und Unterseeboot erzitterten plötzlich. Das Bild verschwand, während im Meer ein Torpedo nach dem anderen explodierte.

»Wir haben's geschafft! Wir haben sie erwischt! Wir –« Sanfords Jubelrufe brachen unvermutet ab, als etwas gegen das Boot krachte und es durcheinanderschüttelte.

Sie starrten ungläubig und erschrocken durch die Glaskanzel und sahen große, leuchtende Aale, die sich gegen das U-Boot warfen.

Tobias saß wie erstarrt. Sein Verstand arbeitete wie rasend und kam zu dem Ergebnis: »Gott sei Dank haben wir eine kräftige Schiffshaut. Die können uns nichts anhaben –«

»Das sind –«, sagte Ritter und hatte keine Zeit mehr, den Satz zu vollenden, denn gewaltige elektrische Energien im U-Boot explodierten und schüttelten ihnen das Leben aus den Körpern. Ritter hatte keine Zeit mehr, seiner Besatzung zu sagen, daß die großen Geschöpfe draußen Zitteraale, elektrische Fische, waren.

6

Eine Rückenflosse schnitt mit großer Geschwindigkeit durch das blaue Wasser und schoß auf eine schöne Frau zu, die in einem feuchten Badeanzug bis zur Hüfte im Wasser stand. Sie wartete ruhig, hatte eine Hand über dem Wasser schweben. Als es schien, als wolle das Tier mit ihr zusammenstoßen, schlug sie mit der Hand scharf auf die Wasseroberfläche.

Das Geräusch ließ den stumpfnasigen Delphin steil in die Höhe steigen. Er balancierte auf seinem Schwanz und sah Dr.

Miko Akasada Stewart fast lachend an. Sie tätschelte jetzt das Tier, machte eine Handbewegung, und es war verschwunden. Bevor Miko die nächste Handbewegung machen konnte, wurde sie über Lautsprecher gerufen.

»Dringender Anruf für Dr. Stewart.«

Schlank und geschmeidig stieg sie die Stufen zu dem Gebäude hinauf, um den unerwarteten Anruf entgegenzunehmen.

Ein Mann trat aus seinem Büro und stützte sich steif auf seinen Stock. Seinem Gang war anzusehen, daß er eine Beinprothese trug. Frank Cartwright fuhr in einem Aufzug zu einem kleinen Untergrundbahnwagen hinunter, der auf ihn wartete. Als man ihm hineingeholfen hatte, schlossen sich die Türen, und der Wagen glitt rasch davon. Im nächsten Bahnhof hielt er an, und Cartwright bestieg einen Aufzug, der ihn vierzig Stockwerke hinauf in einen privaten Warteraum brachte. Von dort bewegte er sich langsam durch einen schmalen Gang und betrat durch eine Metalltür ein kleines vierstrahliges Düsenflugzeug. Ein paar Minuten später stieg dieses zu einem langen Flug in westlicher Richtung in die Höhe.

Als sich der Hubschrauber zum Wasser hinabließ, sprach sein Pilot mit der einsamen Gestalt auf der schwimmenden Plattform. Der Pilot winkte, machte eine scharfe Wende und flog auf die Stelle zu, an der eine beflaggte Boje im Wasser tanzte. Hier hielt der Pilot die Maschine im Schwebeflug an und ließ an einem Kabel einen kleinen Lautsprecher ins Wasser hinab.

In dem sonnendurchfluteten Wasser dicht unter der Oberfläche erklang ein elektronisches Signal. Ein Mann in einem Taucheranzug und mit Gesichtsmaske, der auf einem Hydroschlitten unterhalb der Oberfläche durchs Meer schoß, hörte das Signal und kniff die Augen zusammen. Kapitän Jerome Manning von der U.S. Marine machte eine Kurve mit dem Schlitten und kam an die Oberfläche. Er legte mit der Zunge einen Hebel um und sprach in ein kleines Mikrophon dicht an seinen Lippen. »Hier ist Manning. Was ist los?« Manning ließ sich entspannt treiben. Er war ein kräftiger, wachsamer Mann Anfang Dreißig, dem die

Unterbrechung seines Unterwasserausfluges mißfiel. Er war jedoch darüber nicht aufgebracht. In seinem Kopfhörer knackte es leise.

»Tut mir leid, Sie zu stören, Kapitän, aber im Stützpunkt wartet ein Blitzgespräch für Sie.«

»Okay, ich komme mit dem Schlitten rein.«

»Sir, ich habe Befehl, Sie sofort mitzubringen.«

»Dann holen Sie mich!«

»Ja, Sir.«

Wenige Minuten später schlüpfte Manning in das Netz, das über ihm hing, und er wurde in die Höhe gewunden, während der Hubschrauber schon Kurs auf den nahen Marinestützpunkt nahm. Der Helikopter ließ sich auf einen grünen Rasen in San Diego nieder.

Fast zur gleichen Zeit senkte sich ein anderer Helikopter mit heulenden Triebwerken auf den Rasen vor dem Büro von Vizeadmiral Timothy Haig in Pearl Harbor nieder. Als die Rotoren stillstanden, stiegen Matthew Chadwick und Larry Templeton aus. Man führte sie zu einem wartenden Wagen. Chadwick hatte sich körperlich noch nicht ganz von den Prellungen erholt, die er bei dem Angriff der Wale auf sein Kleinst-U-Boot davongetragen hatte, und trug noch immer einen Arm in einer Schlinge.

Der Wagen fuhr los, nachdem sich die beiden Männer kaum gesetzt hatten.

Tim Haig legte den Hörer auf und wandte sich dem Marineminister Frank Cartwright zu. Sie hatten Kaffee getrunken und sich kurz privat unterhalten.

»Bis auf Manning sind alle da«, teilte Haig Cartwright mit.

»Ich kann mir denken, daß Jerry nicht allzu erfreut war von dem Befehl, hierherzukommen.«

»Glaube ich auch«, pflichtete Haig bei. »Aber seine Gefühle sind im Augenblick nicht sehr wichtig. Mir ist nur wichtig, daß Manning der beste U-Boot-Mann des ganzen Ladens ist.«

Cartwright seufzte leise. Das war Manning, ein noch ziemlich junger Mann, der sich in Kriegs- wie in Friedenszeiten besonders ausgezeichnet hatte, ganz bestimmt. »Ja«, sagte Cartwright, »und die *Sea Trench* ist das größte und teuerste Ding, das je gebaut worden ist. Manning bereitet jetzt seit acht Monaten seine Mission in den Marianengraben vor.«

»Frank, das weiß ich«, erwiderte Haig. »Was glauben Sie, warum ich Jerry und die *Sea Trench* allen anderen vorgezogen habe? Wir brauchen die beiden dringend.«

»Sie werfen ein paar Pläne über den Haufen.«

»Ich brauche Manning und sein neues Schiff«, entgegnete Haig störrisch.

Cartwright änderte seine Taktik so schnell, daß Haig davon beinahe überrascht worden wäre. »Können Sie Jerry Manning überhaupt für diese Aufgabe brauchen? Warten Sie ein wenig mit Ihrer Antwort. Manning ist ein U-Boot-Mann, ist aber auch Pilot, der typisch aggressive Mann. Er ist ein Genie, und gleichzeitig kann er einem gewaltig auf die Nerven gehen. Er ist ein Einzelgänger. In gewisser Hinsicht ist er politisch sogar gefährlich. Außerdem haben wir ihm bei der Planung der Erdölsuche im Marianengraben freie Hand gelassen. Ihn jetzt abzuberufen –« Cartwright schüttelte den Kopf. »Ich bin zufällig Marineminister und weiß selbst noch genau, was passiert ist. Sie halten alles hinter ziemlich dichten Schleiern verborgen, Tim.«

Haig nickte. »Weiß ich. Aus gutem Grund. Was den Marianengraben angeht, darf ich mit allem Respekt darauf hinweisen, Sir, daß er in meinem Befehlsbereich liegt. Wir können natürlich langfristige Pläne nicht einfach umstoßen, ohne Aufmerksamkeit zu erregen, und so wird ein Boot den Marianengraben aufsuchen, und unsere Regierung und die Welt werden glauben, es handle sich um die *Sea Trench*.«

Die Worte wurden vom Lärm eines Flugzeuges verschluckt, das im Tiefflug über das Gebäude hinwegdonnerte. Bevor sie die Unterhaltung wieder aufnehmen konnten, klingelte das Telefon auf Haigs Schreibtisch. Haig grinste Cartwright an, als er abhob.

»Ich weiß«, sagte Haig. »Kapitän Manning landet eben.«

Er hörte ein erstauntes »Jaja, Sir, genau«.

»Danke«, sagte Haig und legte auf. Er blickte den Marineminister an. »In einer Stunde können wir das Treffen beginnen lassen.« Er nahm einen Akt vom Schreibtisch auf und reichte ihn Cartwright. »Sir, hier finden Sie kurze, aber umfassende Dossiers über die Leute, die ich zu diesem Treffen zusammengeholt habe. Wenn Sie sie lesen, werden Sie verstehen, warum ich gerade diese Leute ausgewählt habe.«

Unter denen, die in dem langen Konferenzzimmer um den Tisch saßen, herrschte ein Gefühl der Ungewißheit. Man tappte im dunkeln, was Admiral Haig vorhatte. Er legte nicht alle Karten auf den Tisch. Im Zimmer befanden sich neben einigen Technikern, die alle für die höchste Sicherheitsstufe zugelassen waren, Dr. Chadwick, Larry Templeton, Haig, Cartwright, Jerry Manning, Miko Stewart. Die Türen waren verschlossen, und vor diesen standen bewaffnete Wachen. Jede irgendwie geartete Verbindung mit dem Raum war abgeschnitten worden.

Zur Zeit waren Mikos Augen auf eine Leinwand gerichtet, und die anderen sahen ebenfalls gebannt hin. Als Haig etwas sagte, drehte sie sich mit den anderen um.

»Das ist ein Teil der Meldekugel, die die Mannschaft der *Swimmer IV* heraufgeschickt hat«, erklärte Haig. »Zu den nächsten Augenblicken muß nichts gesagt werden.«

Sie wandten sich wieder zur Leinwand, waren erstaunt, ja ungläubig, obwohl das, was sich auf ihr zeigte, recht eindeutig war. Der Film war unscharf, weil die Kamera gewackelt hatte, doch konnten sie erkennen, daß das viersitzige U-Boot wie wild von riesigen Haien angegriffen wurde.

Haig sagte: »Wir hatten uns nicht träumen lassen, daß die Druckfestigkeit unserer Boote auf diese Weise getestet würde.«

Schweigend sah man sich weiter die Bilder an. Miko hob plötzlich die Hand. »Admiral, lassen Sie den Film bitte anhalten.«

Haig machte eine Handbewegung, und der Vorführer brachte den Film zum Stillstand. Miko hatte sich erhoben und zeigte auf die Leinwand. »Schauen Sie. Man kann es kaum glauben. Diese Tiere handeln nicht aus Gier oder Hunger. Es sieht so aus, als seien sie außer sich, aber das sind sie nicht. Wenn ich es nicht besser wüßte, würde ich schwören, man hatte ihnen befohlen, das Boot anzugreifen.«

»Wieso meinen Sie, daß das nicht so gewesen sein kann?«

Miko blickte Haig an. »Weil sie die Intelligenzstufe von Ratten haben. Ratten kann man zwar abrichten, aber mit Haien geht das nicht.«

»Von Abrichten war keine Rede. Sie haben von ›befohlen‹ gesprochen.«

»Wollen Sie damit sagen, Sie glauben –«

Matthew Chadwick schaltete sich ein. »Ich glaube es, Dr. Stewart. Genau das gleiche ist mir und Mr. Templeton in der *Sea Search* zugestoßen. In unserem Fall wurde der Angriff von Pottwalen ausgeführt.«

Sie lächelte nachsichtig. »Es fällt mir schwer, das für möglich zu halten«, sagte sie.

»Wir wurden angegriffen«, lautete die kalte Entgegnung. »Wir wurden vor dem Angriff gewarnt, und während des Angriffs trugen wir einigen Schaden davon. Wenn Sie Lust haben, können Sie sich gern die Sonarbänder anhören. Sie genießen einen guten Ruf auf Ihrem Gebiet. Sie werden sofort das erkennen, wovon ich hier nur andeutungsweise spreche.«

Timothy Haig unterdrückte ein Lächeln und warf Cartwright einen vielsagenden Blick zu. Die Sache läuft gut, dachte sich Haig. Laut sagte er: »Wenn Sie gestatten, warten wir mit der Diskussion noch etwas.« Er gab das Zeichen, mit der Filmvorführung fortzufahren.

Auf der Leinwand erschienen verschwommene, flimmernde Bilder. Es fiel schwer, etwas zu erkennen. Haigs Stimme war eine Hilfe. »Es ist fraglich, was das hier ist. Film und Tonaufzeichnung stammen aus einer Meldekugel, die Ritters Mannschaft tief aus dem Aleutengraben heraufgeschickt hat. Die Kugel wurde schwer beschädigt, und was Sie sehen, ist über Computer verbessert worden.«

Auf der Leinwand tauchten Zahlen auf, die Tiefe, Druck, Temperatur, Geschwindigkeit und andere Daten angaben.

»Die Zahlen«, fuhr Haig fort, »wie auch der Film und der Ton sind einem Magnetband durch Computerverfahren entnommen worden. Das Verfahren ist verläßlich, doch das ungewöhnliche Material läßt uns keine Wahl als die, nachdenklich und vorsichtig zu sein.«

Cartwright blickte zu Jerry Manning hinüber. Haig fuhr im Hintergrund fort: »Dieser Meldekugel nach ist Ritter mit seinem Boot über 10 000 Meter tief getaucht. Die Magnetbandexperten sind sich aber sicher, daß die genaue Tiefe über 12 000 Meter betragen haben muß.«

Frank Cartwright horchte auf und vergaß, Jerry Manning zu beobachten. Cartwright hatte geglaubt, er wisse bis in die Einzelheiten, was Tim Haig heute abend enthüllen wolle, aber der alte Fuchs hatte mit verdeckten Karten gespielt. Cartwright mußte husten und sich dann räuspern. »Das ist absurd, Admiral Haig. Der Graben ist nur 8500 Meter tief und –«

»Weiß ich«, fiel Haig ein.

Cartwright wollte etwas sagen, preßte jedoch die Lippen zusammen. Er sah wieder auf die Leinwand. Das Flackern und Flimmern war schlimmer geworden. Man konnte nur Bruchstücke erkennen, aber die genügten, um alle wie erstarrt auf ihren Stühlen sitzen zu lassen. Man hörte die aufgeregte Stimme eines Mannes, der Unglaubliches sagte: ». . . eine Kuppel . . . kilometerlang . . . unmöglich . . .«

Dann änderte sich das Bild. Alles war verschwommen, und es war nichts mehr zu erkennen.

Haig meldete sich wieder. »Dieser letzte Film stammt von einem Fernsehtorpedo, der auf das Licht von Leuchtbomben angewiesen war. Sie kennen die Lichtverhältnisse in 12 000 Metern Tiefe, und ein Teil der Meldung wurde beschädigt. Ich möchte Ihnen den Film in Zeitlupe zeigen.«

Vor einem Hintergrund aus flackerndem Licht bewegten sich dunkle Schatten. Das Flimmern wurde mit jedem Augenblick stärker. Schließlich ertönte ein gewaltiges elektrisches Krachen. Der Film blieb ruckartig stehen, und vor dem hellen Hintergrund sahen sie schattenhaft eine Gestalt, die auf peinigende Weise einem zweifüßigen Wesen ähnelte.

Das Ganze war verrückt.

7

Man hatte sich in ein Eßzimmer zurückgezogen, wo sie sich vom
Ansturm der Gefühle, der vom Film ausgelöst worden war, erholen konnten. Admiral Haig war entschlossen, sein ausgewähl-
tes Gremium nicht zu überfordern. Deshalb die Kaffeepause, die
spontane Bildung von Gesprächsgruppen, die Haig sich genau
ansehen wollte. Miko Stewart hatte sich mit Chadwick und Templeton zurückgezogen, und die drei unterhielten sich angeregt.
Dann ließ Haig seinen Blick in die Ecke des Raumes schweifen,
in der Frank Cartwright auf seinen Stock gestützt stand und mit
Jerry Manning sprach. Der U-Boot-Kommandant wirkte angestrengt, rauchte heftig, und die beiden schienen sich gut zu verstehen. Sehr schön, dachte sich Haig. Wirklich schön.

»Zum erstenmal seit vielen Jahren«, sagte Cartwright zu Manning, »habe ich nicht gleich eine Antwort parat.«

»Sir, da sind Sie wohl kaum der einzige. Das ist der verrückte-
ste Film –«

»Schon Schlüsse gezogen?«

Manning nickte langsam. »Ja, Sir.«

»Ich wäre dankbar, wenn ich etwas von jemandem – also
Mann, spannen Sie mich nicht auf die Folter!«

Manning schüttelte den Kopf. »Tut mir leid, Sir –«

»Und schützen Sie nicht das ›Sir‹ vor.«

»Ja, Sir.« Manning grinste den Minister an. »Ich will nur nicht
voreilig sein, Frank. Der Admiral hat direkt ins Schwarze gezielt,
so wie er alles eingefädelt hat. Und er hat uns einen harten Schlag
versetzt. Wir sind noch durcheinander von dem, was wir gehört
und gesehen haben. Ich muß das erst einmal ein wenig ver-
dauen.«

Cartwright verzog unwillig das Gesicht. »Dann sagen Sie mir
etwas anderes, Jerry: Was halten Sie von der Gruppe, die Tim
zusammengebracht hat?«

Manning sah sich um. Er sog den Rauch seiner Zigarette tief
ein und stieß ihn plötzlich aus. »Alles, was Tim Haig macht, hat
einen Haufen Gründe.« Er verengte die Augen. »Nur die junge
Frau scheint mir nicht herzupassen.«

»Miko Stewart? Wenn ich mich in Haig nicht täusche«, sagte Cartwright ein wenig zurechtweisend, »dann ist sie perfekt.«

Manning ärgerte sich und zeigte es. »Auf welchem Gebiet?«

»Sie wissen, was Chadwick und Templeton zugestoßen ist? Die Sache mit den Walen? Miko, Doktor der Naturwissenschaften, ist wahrscheinlich die führende Forscherin auf dem Gebiet der Herstellung von Kommunikation mit der Gattung der Wale. Sie ist übrigens Amerikanerin, keine Japanerin, in der dritten Generation.«

»Ist sie Zivilistin oder gehört sie zur Marine?«

»Erinnern Sie sich an Commander Harold Stewart?« wich Cartwright aus.

»Ich glaube schon. Er ist doch im Taucheranzug über zweitausend Meter tief getaucht? Probierte eine neue Bionikausrüstung aus. Er ist bei dem Tauchunternehmen umgekommen.«

»Ein Versagen der Ausrüstung war die Ursache«, antwortete Cartwright. »Auf jeden Fall ist diese Frau seine Witwe.« Cartwright machte eine Pause. »Außerdem hat sie bei einer Olympiade die Goldmedaille im Turmspringen gewonnen. Können Sie sich jetzt denken, warum Haig sie geholt hat?«

»Ich gebe mir Mühe.« Manning sah sie lange an und stellte fest, wie anziehend sie war, nicht nur körperlich, sondern auch in einem anderen Sinn. Sie wirkte fähig und begabt, sprach und bewegte sich einfach richtig. Im Augenblick stand sie über ein kleines Kassettengerät gebeugt, und Manning sah, daß sie überrascht zu Chadwick aufblickte.

»Ja, Sie haben absolut recht«, sagte sie zu dem Wissenschaftler. »Verzeihen Sie mir, Dr. Chadwick. Ich gebe gern zu, daß das wirkliche aggressive Töne sind, dazu kommen außerdem noch Warnrufe. Das sind die Zeichen, die sie sich geben, wenn sie in großen Tiefen hinter riesigen Tintenfischen her sind.«

Es war offensichtlich, daß Dr. Chadwick seinen Spaß an der Unterhaltung hatte, wenn ihn auch seine Verletzungen noch schmerzten. »Was Sie sagen, bestätigt mich«, erklärte er. »Hören Sie bitte weiter.«

Aus dem Lautsprecher kamen krachende Geräusche. »So klang es, als das U-Boot mit den Walen zusammenstieß«, kommentierte Templeton.

Sie blickte mit ernstem Gesicht auf. »Ich glaube, ich wäre nicht gern in Ihrer Haut gesteckt.«

Templeton lachte nervös. »Wir meinten, wir würden das Sonnenlicht nie wiedersehen.«

Das Band war abgelaufen, und Templeton schaltete den kleinen Apparat aus.

Chadwick lehnte sich zurück, entzündete umständlich seine Pfeife und sah sich im Zimmer um. Dann sagte er zu Miko: »Ich frage mich, warum wir hier sind.«

»Ich verstehe Sie nicht«, sagte Miko.

Chadwick ließ eine blaue Rauchwolke aus seiner Pfeife aufsteigen. »Wir wurden alle ganz plötzlich hierher geholt. Eine Menge wichtiger Leute ist im Zimmer, Dr. Stewart. Zum Beispiel der Marineminister. Oder Jerry Manning. Haben Sie schon etwas von der *Sea Trench* gehört?«

»Nein. Was ist das?«

Er zuckte die Schultern. »Das darf ich Ihnen noch nicht sagen.« Er lehnte sich zurück. »Aber ich glaube, Sie werden das bald genug wissen.« Er zeigte auf Manning. »Kennen Sie ihn?«

»Erst seit einer Stunde. Muß ich ihn kennen?«

Chadwick hatte sich langsam erhoben. »Ich glaube, Sie werden ihn wirklich gut kennenlernen, und ich bin mehr und mehr überzeugt, daß Ihr Leben und Ihre Zukunft in seinen Händen liegen werden.«

Als sie in den Konferenzraum zurückkehrten, war auf der Leinwand immer noch das seltsame, beinahe furchterregende Bild der verschwommenen menschenähnlichen Gestalt zu sehen. Man hatte jetzt helleres Licht gemacht, und Haig stützte sich auf den langen Tisch und sagte: »Ich möchte Ihre Eindrücke, Ihre Schlüsse und Theorien zu dem hören, was Sie in diesem Raum gesehen und gehört haben. Wir werden mit –« Er unterbrach sich, als Miko Stewart die Hand hob. Er nickte ihr zu.

»Entschuldigen Sie, Admiral, aber bevor wir weitermachen, würde ich gern wissen, warum wir nicht mit den Besatzungsmitgliedern der *Swimmer IV* sprechen konnten.«

Cartwright und Haig tauschten einen langen Blick aus. Der Minister gab Haig ein Zeichen.

»Ich dachte, Sie hätten begriffen. Sie sind tot.«

Das Entsetzen auf ihrem Gesicht sagte mehr als alle Worte.

Anscheinend hatte auch der Marineminister eben erst erfahren, daß die vier Männer verloren waren. »Admiral Haig«, sagte er schwerfällig, »diese Männer . . . was ist geschehen? Wie sind sie gestorben?«

»Das wissen wir nicht.« Haigs schlichte Aufrichtigkeit war noch schwerer zu schlucken.

»Sie müssen doch irgendeine Ahnung haben«, sagte Cartwright.

Jerry Manning lehnte sich in seinen Stuhl zurück und trommelte leise mit den Fingern auf den Tisch. Von ihm hatte niemand, auch nicht Admiral Haig, eine Antwort erwartet.

»Elektrische Stromstöße haben sie getötet«, sagte Manning.

Er sah die Gesichter der Reihe nach an. Niemand sagte etwas. »Vor mehr als fünfzig Jahren«, fuhr Manning fort, »haben Wissenschaftler bestätigt, daß in der Tiefsee Aale leben, die mehr als dreißig Meter lang oder vielleicht sogar doppelt so lang sind. Was man damals nicht wußte, und was auch wir noch nicht wußten, bis wir nun dieses Material aus den Meldekugeln sahen, ist die Tatsache, daß manche dieser Aale zu den elektrischen Fischen gehören. Und jedes Tier von dieser Größe, das Elektrizität erzeugen kann, ist tödlich.«

Er blickte von Haig zu Cartwright hinüber. »Da ist noch etwas. Diesen Aalen wurde befohlen, anzugreifen und das U-Boot zu vernichten. Die Besatzung ist nicht einfach gestorben. Sie wurde umgebracht, und zwar absichtlich.«

Templeton widersprach mit lauter Stimme: »Das ist doch Wahnsinn. Ihre Bemerkungen entbehren jeder Grundlage. Sie können nicht –«

»Sie haben den winzigen Einzelheiten des Films nicht genug Beachtung geschenkt«, unterbrach Manning. »Es war alles zu sehen, wenn man wußte, wo man hinschauen mußte. Das Flimmern, die Unterbrechungen des Magnetbandes. Das deutet auf schwere elektrische Überbelastung. Die Besatzung ist schlicht und einfach durch elektrischen Strom getötet worden.«

Das Schweigen mündete in einen kleineren Aufruhr. Der Marineminister war verblüfft. Er warf Haig einen langen, bedeutsamen Blick zu und sah dann Miko Stewart an, die aufgesprungen war und versuchte, Mannings Worte zu entkräften.

»Das, was Sie gesagt haben, läßt sich überhaupt nicht beweisen«, erklärte sie ärgerlich. »Nichts als Mutmaßungen. Schlimmer noch, es ist abwegig. Das U-Boot war mehr als zehn Kilometer in die Tiefe getaucht, und –«

Manning sagte ganz ruhig: »Genau, und zwar an einer Stelle, wo das Meer nur acht Kilometer tief ist. Fahren Sie bitte fort.«

Einen Augenblick war sie verwirrt. Dann meinte sie: »Wir können uns nur auf das Bandmaterial stützen, und das ist lädiert und unzuverlässig. Das ist nichts als –«

Sie blickte zu der seltsam menschlichen Gestalt auf der Leinwand hoch und schwieg.

Eine Zeitlang wurde nichts gesprochen.

»Ach ja«, sagte dann Manning, »das da ist ja auch noch da, nicht wahr?«

»Was?« schaltete sich Chadwick ein. »Ein Schatten auf einem zerrissenen Band?«

Manning zuckte die Schultern. Ein Streitgespräch interessierte ihn offenbar nicht.

Dr. Chadwick wandte sich an Haig: »Admiral, Sie haben dieses Treffen wie eine spiritistische Gesellschaftsrunde geführt. Würden Sie bitte zur Sache kommen?«

Haig nickte langsam. »Na schön, Doktor. Ich teile Ihnen als erstes mit, was Sie nicht tun dürfen: Sie dürfen der Öffentlichkeit nichts von dem mitteilen, was hier in diesem Raum vorgefallen ist. Was Ritter und seinen Leuten zugestoßen ist, geht nur das Militär etwas an. Ich verweise auf die Militärgesetzgebung zur Geheimhaltung. Seit dem letzten Krieg haben wir immer noch eingeschränkte Militärgerichtsbarkeit, und Sie sind zur Geheimhaltung verpflichtet.«

Chadwick nickte. »Na schön, Admiral, das verstehe ich. Ich gebe Ihnen mein Wort, aber nur unter Protest.«

»Wie Sie wünschen«, sagte Haig freundlich. »Ist irgend jemand nicht damit einverstanden?«

Man schwieg.

»Danke.« Dann fuhr Haig fort: »Nach allem, was wir Unglaubliches über die angreifenden Wale, die zusammenarbeitenden Haie und die Zitteraale gehört haben, scheint doch außer jedem Zweifel zu sein, daß Ritter und seine Leute um Kilometer tiefer getaucht sind, als es im Aleutengraben eigentlich möglich ist. Vor Ritters Tauchfahrt glaubten wir, der Graben sei etwa 8500 Meter tief. *Swimmer IV* tauchte dreieinhalb Kilometer tiefer und hatte noch immer nicht den Grund erreicht. Wir hörten, wie von einer Kuppel gesprochen wurde, die angeblich kilometerlang sein soll, obwohl wir im Augenblick solche Maße gar nicht fassen können. Sie wurden von Tieren angegriffen und getötet, die über ein unglaubliches elektrisches Potential verfügen. Und dann sehen wir uns noch mit dem hier konfrontiert –«

Er zeigte auf die undeutliche Figur auf der Leinwand.

»Wir wissen nicht mehr, als wir sehen. Wir können jedoch Fragen stellen. Was macht ein Geschöpf dieser Größe in einer Tiefe mit ungeheurem Druck und lebensfeindlichen Temperaturen? Wie kann es sich dort so offensichtlich mühelos und frei bewegen? Worum handelt es sich? Auf jede mögliche Antwort kommen wieder tausend Fragen. Und diese Fragen sind wichtig. Wir haben es sicher mit irgendeiner intelligenten Leitung oder Überwachung zu tun. Sie kann gut und gern auf natürliche Weise im Meer entstanden sein. Wir wissen es nicht, und ich habe persönlich Zweifel. Wir wissen, daß die Chinesen wahre Wunder an Beherrschung von Tieren vollbracht haben, indem sie Delphinen und Walen elektrische Geräte in das Hirn und das Rückenmark eingepflanzt haben. Wieweit ihnen das bei anderen Gattungen geglückt ist, können wir nicht wissen. Sie teilen uns ihre Ergebnisse nicht mit.«

Haig verstummte kurz und sammelte seine Gedanken. »Eines müssen wir herausbekommen«, sagte er dann und blickte Cartwright an. »Wenn die Chinesen die Hand im Spiel haben, sehen wir uns einer unbekannten gefährlichen Bedrohung ausgesetzt.«

Chadwick meldete sich zum Wort: »Wie, wenn sich alles natürlich erklären ließe? Vielleicht folgt die Natur nur ihrer alten

Regel, den Geschöpfen beim Überleben zu helfen? Vielleicht entwickelt sich im Meer explosionsartig eine Intelligenz? Was machen Sie dann?«

Haig stieß einen Seufzer aus. »Wenn das Wörtchen wenn nicht wär ... Dr. Chadwick, wir alle wissen doch, daß die Natur neunzig Prozent der Arten ausgelöscht hat, bevor der Mensch überhaupt auftrat. Nun, wir werden Kapitän Manning in den Aleutengraben schicken, um Antwort auf diese Fragen zu finden. Ich habe Sie hergebeten, weil ich Sie für die Spitzenkräfte der Meeresforschung halte und gern möchte, daß Sie Kapitän Manning begleiten. Wir müssen da unten auf alles vorbereitet sein, und wir brauchen die beste Auswahl an intelligenten Köpfen. Das Vorhaben hat absolute Priorität. Wir sind einmal auf dem Mond herumspaziert, haben dort aber anscheinend nur leere Fußstapfen hinterlassen. Der Mensch kann auf dem Mond nicht leben. Aber im Meer müssen wir leben. Das liegt auf der Hand.«

Cartwright hatte ruhig zugehört. Jetzt sprang aber Jerry Manning auf und sagte ungläubig: »Ist das Ihr Ernst? Sie geben der *Sea Trench* einen neuen Auftrag? Wir sollen alles fallenlassen, um Schatten nachzujagen?«

Haig zeigte auf das Bild auf der Leinwand und sagte: »Schattenhaft mag das ja aussehen, aber ein Schatten *ist* es bestimmt nicht. Und der Verlust Ritters und seiner Mannschaft ist ebenfalls kein Hirngespinst.«

»Sie machen aber zwei Jahre einer Spezialvorbereitung zunichte. Sie wissen, daß wir im Marianengraben arbeiten sollen. Seit Monaten arbeiten wir mit der Akademie der Wissenschaften zusammen, und Tim, Himmel auch, da sind noch zwei Studenten, die ich mitnehmen soll –«

»Weiß ich«, unterbrach Haig. »Die fahren mit.«

Manning war wie vom Blitz getroffen. Er wandte sich an Cartwright: »Herr Minister, bei allem Respekt vor dem Admiral kann ich kaum einen Vorschlag annehmen, der jahrelange Arbeiten über den Haufen wirft. Sie selbst haben der Erdölexpedition Vorrang eingeräumt, und –«

Cartwright winkte ab. »Kapitän Manning«, sagte er, »ich glaube, wir sollten etwas bedenken, von dem in dieser Gruppe noch nicht gesprochen wurde. Die Natur gibt uns sehr oft Warnzeichen, und oft blendet uns unsere Technologie so sehr, daß wir diese Zeichen nicht bemerken. Niemand hier kann die Ereignisse, die sich im Alëutengraben zugetragen haben, anzweifeln. Zunächst reagiert man ungläubig, aber wir müssen aufpassen, daß wir das, was jenseits des Normalen liegt, nicht einfach ausschließen. Die Jahre haben mir gezeigt, daß wir vom Leben nur eines erwarten können: das Unerwartete.« Der alte Mann hatte plötzlich eine sehr feste Stimme. »Admiral Haig, Schluß mit der Diskussion. Sie erteilen der Gruppe jetzt bitte Ihre Befehle.«

Haig nickte ernst. Er war sich jetzt der vollen Unterstützung durch den Marineminister sicher. »Die *Sea Trench* unter dem Kommando von Kapitän Manning, der die Fahrt in eigener Verantwortung leiten wird, verläßt ihren Heimathafen binnen zweiundsiebzig Stunden. Ihr Ziel wird der Alëutengraben westlich Amchitka sein, wo sie den seltsamen Erscheinungen nachgehen wird, die sich in der Gegend gezeigt haben. Die hier Anwesenden werden Teil der Besatzung und des Stabes sein, die Kapitän Manning zur Verfügung stehen. Die beiden Studenten, die auf Grund der Tatsache, daß sie von der Akademie der Wissenschaften ausgewählt wurden, die Fahrt des Bootes mitzumachen, einen Sonderfall darstellen, werden an Bord bleiben. Wir stoßen in eine neue Welt vor, und wir können junge Gehirne brauchen, die nicht von veralteten Überzeugungen verkrustet sind.«

Haig erhob sich. »Sie werden jetzt in Ihre Quartiere zurückkehren, um die notwendigen Vorbereitungen zu treffen. Halten Sie sich an die vorgeschriebenen Sicherheitsbestimmungen. Sollten Sie Fragen haben oder Hilfe brauchen, wenden Sie sich an mich.« Mehr hatte er nicht zu sagen.

Das plötzliche Schweigen war nur schwer zu brechen. Hinter dem Admiral schwebte die seltsame zweibeinige Gestalt.

8

Der Rumpf war so riesig, daß man ihn auf den ersten Blick gar nicht überschauen konnte. Kräftig gerundete, metallisch glänzende Seiten gaben ihm ein Aussehen von Stärke. Selbst hier im unterirdischen Trockendock in der Nähe von San Diego konnte man meinen, das Boot befinde sich schon auf Fahrt. Miko Stewart stand auf einer Plattform unter dem Bug der *Sea Trench* und war von der gewaltigen Masse über ihr wie gebannt. Die Luft hallte von den Geräuschen letzter Vorbereitungsarbeiten wider. Als Miko in die Höhe sah, wurde ihr fast schwindelig, und sie hatte das Gefühl, das Boot werde gleich die Stützen zum Einsturz bringen und alles unter sich begraben. Unter dem Gebirge von U-Boot kam sie sich ganz hilflos vor. Instinktiv sah sie sich nach einem anderen lebenden Wesen um.

Neben ihr auf der Plattform stand Jerry Manning, Kapitän und voll verantwortlich für dieses kraftgeladene Ding.

Sie suchte nach Worten. »Ich weiß nicht, was ich sagen soll. Ich hatte keine Ahnung.«

Manning nickte langsam. Er verstand ihre Gefühle, wußte, wie winzig man sich vorkam, wenn man dieses gewaltige Unterseeboot zum erstenmal sah. »Die *Sea Trench* ist einmalig«, sagte er freundlich. »So ein Boot fehlte uns schon seit langem, und ich glaube, wir arbeiten seit zehn Jahren an ihm.«

Er ging jetzt die Plattform entlang. Miko hielt sich an seiner Seite und hörte aufmerksam zu. Ihr war, als sähe sie den Mann zum erstenmal. Er wirkte ganz anders als im Büro von Admiral Haig.

»Zehn Jahre?« wiederholte sie. »Dann ist all das schon lange vor dem Krieg begonnen worden?«

»Die *Sea Trench* hatte nichts mit dem Krieg zu tun«, bestätigte er. »Seit es Tiefseeforschung gibt, haben wir uns nie in angemessenem Umfang oder mit den entsprechenden Mitteln um das Meer bemüht. Jetzt können wir das. Man muß sich der Erforschung der Tiefsee mit der gleichen Haltung nähern, mit der man einen anderen Planeten erforschen würde. Schließlich sind zwei Drittel der Erde mit Wasser bedeckt.«

Sie blieben stehen, und er warf einen langen Blick auf das große Fahrzeug, dessen Kapitän er war. »Das Ding ist mit allen Arten von Energie vollgestopft. Wir hatten Tauchkugeln und Boote, die den Meeresgrund zu erreichen vermochten, aber sie konnten sich nur blind vorwärtstasten. Vor kurzem haben wir die neueren Boote manövrierfähiger gemacht, aber sie sind klein und können nicht lange unten bleiben. Wir brauchen genug Energie, um unten bleiben, unten arbeiten und alle Probleme an Ort und Stelle lösen zu können.«

Sie liefen weiter, und sie fragte: »Wollen Sie mir etwas mehr über das Boot erzählen?«

Er warf ihr einen Blick zu, prüfte ihr Gesicht und versuchte dabei, sie nicht merken zu lassen, wie empfindlich er sein konnte, wenn es um das U-Boot ging. Er war ungeheuer stolz, bei der Verwirklichung des Bootes mitgeholfen zu haben und zu seinem Herrn und Meister bestimmt worden zu sein. Aber er wollte diesen Stolz verbergen und schaute sie sich genau an, ob sie es auch ehrlich meinte. Sie spürte seinen prüfenden Blick auf sich ruhen und war erleichtert, als er endlich sagte: »Was möchten Sie wissen?«

»Ach, was Sie vielleicht für unerheblich halten, weil Sie jeden Tag damit umgehen. Aber ich«, sagte sie kleinlaut und blickte kopfschüttelnd in die Höhe, »ich bin einfach überwältigt.«

Er lachte. »Na schön, Miss Stewart, nennen wir also ein paar Zahlen. Wir verdrängen 16 000 Tonnen, das heißt, wir sind so groß wie ein kleines Schlachtschiff des Zweiten Weltkrieges. In der *Sea Trench* wird alles mit Atomkraft angetrieben. Wir haben drei Reaktoren. Wir fahren ab und haben drei Jahre lang keine Sorgen mehr mit dem Brennstoff.«

»Drei Jahre?« wiederholte sie.

Er nickte. »Ein richtiges Forschungsboot muß so lange unabhängig sein, damit es das Unbekannte aufsuchen und sich ausgiebig mit ihm beschäftigen kann. Vierzehn Männer, mich eingerechnet, bedienen die *Sea Trench*.«

Er überschüttete sie mit Informationen, und sie mußte ihn einfach unterbrechen: »Warten Sie, warten Sie. Das U-Boot hat 16 000 Tonnen, und wie lang ist es denn?«

»Hundertdreiundsiebzig Meter und fünfundzwanzig Zentimeter«, sagte er, ohne mit der Wimper zu zucken.

»Und es braucht zur Bedienung nur vierzehn Leute?«

»Das ist die Mannschaft. Wenn es nötig ist, können wir dazu noch fünfzig Wissenschaftler und Forscher an Bord nehmen. Wir haben Labors und Einrichtungen für fast alle Arbeiten, die Sie sich vorstellen können. Vier unserer Leute haben eine Fallschirm- und Sanitätsausbildung. Da wir keine Riesenmengen an Brennstoff mitschleppen müssen, haben wir Platz für andere Dinge.«

»Aber –«

»Wir führen tiefgefrorene Nahrungsmittel für fünf Jahre mit uns. Wir destillieren das Süßwasser, das wir brauchen, und wir können uns jederzeit frischen Fisch verschaffen. Wirklich wichtig ist, daß jedes System dreifach vorhanden ist, und daß wir in unseren Werkstätten fast alles reparieren können, was anfallen mag.«

»Aber ein Schiff dieser Größe –«

»Unterseeboot, Boot – nicht Schiff.«

Sie nickte heftig. »Wie Sie es auch nennen mögen, aber wie können Sie es vierundzwanzig Stunden, und zwar jeden Tag, mit nur vierzehn Leuten in Gang halten?«

»Es sind keine gewöhnlichen Männer.« Es war unmöglich zu überhören, wie stolz er auf seine Mannschaft war. »Außerdem haben wir Neptun. Wir betrachten ihn als fünfzehntes Besatzungsmitglied.«

»Neptun?« Wann würde sie wohl aufhören, ihm die Worte nachzuplappern?

»Unser Computer. Das Superhirn. Es ist mit jeder Steueranlage verbunden, ebenso mit jedem Meßinstrument des Bootes. Es hört, sieht und fühlt fast alles. Es antwortet mit Hilfe seiner Sensoren sogar auf Berührung. Es hat einen Speicher, der vollständig das enthält, was wir über die Meere wissen. Das eingeschlossen«, fügte er trocken hinzu, »was wir in den letzten Tagen dazugelernt haben. Neptun stellt das Hirn, und wir treffen auf einer Fahrt die Entscheidungen.«

»Wie tief kann das Boot tauchen?«

»Praktisch hält es jeden Druck aus.«

»Wie viele Schrauben? Sie brauchen sicher –«

»Keine. Wir haben Hydrojets. Sie sind wie große Düsentrieb-werke gebaut, nur daß wir sie drehen können wie ein Flugzeug, das senkrecht zu starten und zu landen in der Lage ist. In einer Hydrowelt sind Hydrojets wirkungsvoller als Schrauben. Wir bewegen uns in einer Flüssigkeit, und wenn Sie sich vorstellen, daß die Luft ja auch flüssig wie Wasser ist, so segeln und schwim-men wir nicht, sondern fliegen, Miss Stewart.«

Sie nickte und richtete sich geistig auf diesen verblüffenden Riesenapparat ein. »Ich könnte mir denken, daß Sie mindestens fünfzig oder sechzig Knoten schaffen?«

Er lachte zufrieden. »Das ist noch nicht einmal die Hälfte. *Sea Trench* ist ein Unterseeboot mit negativem Auftrieb. Wir hängen nicht wie die alten Boote an einem ›Ballon‹. Wir gleichen einem schweren und schnellen Düsenflugzeug. Wenn unsere Hydrojets nicht laufen, sinken wir wie ein Flugzeug mit stillstehenden Mo-toren auf den Grund. Obwohl das Wasser achthundertmal dich-ter als Luft ist, können wir auf Grund unserer Form und unseres Antriebes über hundertzwanzig Knoten schnell sein. Wenn wir unseren Bug durchsichtig machen und Sie vorn hinaussehen, be-wegen Sie sich so schnell wie ein stürzender Fallschirmspringer durchs Meer.«

»Das klingt ja, als würde es –« Sie zögerte, suchte nach dem richtigen Wort.

»Spaß machen?«

»Nun ja, aber das wollte ich nicht sagen. Ich möchte nicht, daß Sie mich für unbeeindruckt halten. Ich bin wirklich erschlagen.«

»Danke. Aber Sie hatten recht. Man kann sogar Spaß mit dem Ding haben, neben vielem anderen.«

Sie wollte etwas sagen, überlegte kurz und ließ ihren Gedanken freien Lauf. »Darf ich Ihnen eine persönliche Frage stellen?« Sie wartete seine Antwort nicht ab, sondern fuhr gleich fort: »Kapi-tän Manning, haben Sie manchmal Spaß an dem Boot?«

Er blickte sie noch einmal prüfend an, diesmal ganz offen, suchte etwas, das ihm vielleicht nicht gefallen würde. Dann glät-tete sich sein hartes Gesicht, und sie wußte, daß sie eine wichtige innere Hürde genommen hatte. »Ich hatte noch keine Zeit für Spaß, Miss Stewart. Seit Jahren hatte ich die nicht. Nicht, seit –«

Er brach ab, und sie fragte: »Wollten Sie sagen, seit dem Krieg?«

Seine Stimme wurde kalt. »Da könnten Sie recht haben.«

»Kapitän, ich wollte Ihnen nicht zu nahe treten«, sagte sie vorsichtig und leise. »Der Krieg ist seit über fünf Jahren vorbei.«

»Für einige Leute schon. Es gibt alle möglichen Arten von Kriegen.«

Es war jetzt deutlich, daß er sich wieder verschlossen hatte, aber sie wollte es nicht zulassen. Sie lenkte die Unterhaltung wieder auf sicheres Gelände. Sie zeigte nach oben. »Diese Ringe. Manche sind gelb, manche rot oder grün. Was bedeuten sie?«

»Torpedos. Fernseh-, Leuchtbomben-, Sonar-, Angriffstorpedos –«

Sie merkte, wie ihre Stimme hart wurde. »Angriffstorpedos? Sie meinen Waffen?«

»Selbstverständlich.« Es schien leicht überrascht. »Bei Ihnen klingt das so, als handle es sich um eine schreckliche Krankheit.«

»Aber Sie sagten doch, dies sei ein Forschungsboot?«

Seine Abneigung war jetzt nicht mehr aufzuhalten. »Ein Forschungs- und Erkundungsboot, Miss Stewart. Offenbar haben Sie etwas gegen Waffentorpedos?«

Nun, dachte sie, auf diesem Gebiet konnte sie es mit ihm aufnehmen. »Allerdings, und zwar eine Menge. Ich glaube, ich habe mich außerdem getäuscht. Ich hatte keine Ahnung, daß wir eine militärische Mission vor uns haben.«

Er blieb wieder stehen und sah sie direkt an. »Dann haben Sie keine Ahnung von Geschichte, Miss Stewart«, sagte er eisig. »Blicken Sie einmal aus Ihren Büchern auf, und sehen Sie das Leben, wie es wirklich ist. Niemand ist je zu neuen Grenzen vorgestoßen und hat diesen Vorstoß überlebt, ohne bis an die Zähne bewaffnet gewesen zu sein. Lewis und Clarke waren nichts anderes als eine militärische Expedition. Und die Reise des Christoph Columbus war auch nichts anderes, von Marco Polo und den Wikingern ganz zu schweigen. Die Welt da draußen ist ziemlich bösartig.«

Schritte näherten sich, und er brach ab. Dann fügte er noch hinzu: »Wenigstens verstehen wir uns jetzt.«

»Ich schätze Ihre Aufrichtigkeit«, sagte sie.

»Zu der brauchen Sie mich nicht zu beglückwünschen. Sie gehört zufällig zu meinen Gewohnheiten.«

Er ließ ihr keine Zeit für eine Erwiderung, sondern wandte sich den Neuankömmlingen zu. Sie drehte sich mit ihm um und sah einen kräftig gebauten Schwarzen mit den Streifen eines Fregattenkapitäns an den Ärmeln näher kommen. Es war ihr erstes Zusammentreffen mit dem Ersten Offizier der *Sea Trench*, William Ryan. Er war Mitte Vierzig, und seine Gewohnheit zu befehlen drückte sich schon in seiner Art zu gehen aus. Sein scharfer Blick verriet Sinn für Humor. Bei ihm waren die beiden jungen Menschen, von denen sie in Admiral Haigs Büro gehört hatte, Richard Castillo und Jessica Ames, die bei einem Wettbewerb der Akademie der Wissenschaften gesiegt hatten und an der Forschungsreise teilnehmen durften, um die ersten praktischen Schritte in der Ozeanographie zu lernen.

Von beiden jungen Menschen hatte sie sofort einen guten Eindruck. Richard gehörte seinem Intelligenzquotienten nach in die Klasse der Genies, hatte einen offenen, begeisterungsfähigen Geist und konnte es schon mit erfahrenen Wissenschaftlern aufnehmen, die um einiges älter waren als er. Sein Hauptinteresse galt der Geologie. Es gab noch andere Dinge über den jungen Mann zu erfahren. Sein ansteckendes Lächeln ließ einen völlig vergessen, daß er der einzige Überlebende einer großen Familie war, die er im Alter von zwölf Jahren bei der atomaren Vernichtung von Los Angeles verloren hatte.

Wenn man Richard Castillo sofort mit Hochachtung begegnen mußte, so war Jessica Ames schlicht atemberaubend. Sie war achtzehn, hatte rotes Haar, war auf hübsche Art sommersprossig, und ihr Gesicht schien immer zu lächeln. Jessica und Miko sollten sich gut verstehen, da das junge Mädchen erstaunlich gut mit Lebewesen des Meeres umgehen konnte. Die beiden blickten sich an und waren sich sofort sympathisch.

Ryan grüßte Manning knapp und wie beiläufig, und die beiden schüttelten sich erfreut die Hände. »Gut, daß Sie zurück sind«, sagte Ryan.

Ryan zog die Augenbrauen ein wenig in die Höhe, als Manning

nicht auf den freundlichen Ton einging. »Unsere Pläne haben sich geändert, Mr. Ryan. Ich weise Sie nachher ein.«

Manning wandte sich den anderen zu. »Fregattenkapitän Ryan, das hier ist Miss –«

Sie konnte das Spiel genauso gut wie er. »Doktor«, sagte sie ruhig.

»Miko Stewart«, fuhr er unbeirrt fort. »Das hier ist mein Erster Offizier.«

Jessica kam mit glänzenden Augen näher. »Sie sind Dr. Stewart? Die Frau, die mit den Walen spricht? Ach, ich wollte Sie schon immer treffen. Ich bin Jessie, und das ist Richard, und ich hab' gehört, daß Sie mitkommen. Ich bin ja so aufgeregt.«

Miko lächelte, gab ihr die Hand und nickte dem Jungen zu. Sie hörte Manning mit Ryan sprechen und wandte sich ihnen zu.

»Chadwick und Templeton sind da drüben«, sagte Manning und zeigte auf die beiden, die eben die Plattform betraten. »Bringen Sie sie an Bord, und zeigen Sie ihnen die Unterkünfte. Alle müssen sofort in die frei zugänglichen und gesperrten Abschnitte des Bootes eingewiesen werden. Wenn Sie fertig sind, kommen Sie auf meine Kajüte.«

Er ging wortlos weg, und seine Absätze lärmten über den metallenen Steg. Miko sah ihm einen Augenblick nach und warf dann einen Blick auf Ryan. »Ich bin ihm anscheinend auf ein Hühnerauge getreten.«

»Nun, er hat an jedem seiner zehn Zehen eines, wissen Sie.«

Das Gelächter löste plötzlich die Spannung, die Manning zurückgelassen hatte. Ryan sah Miko an und nickte. »Hören Sie, ich kläre lieber erst einmal ein paar Punkte«, sagte er. »Ich weiß noch nicht einmal, was unsere neuen Befehle sind. Ich werde es aber bald genug wissen. Es gibt jedoch gewisse Dinge, die uns das Zusammenleben erleichtern werden. Haben Sie etwas dagegen, wenn ich davon spreche?«

»Überhaupt nichts«, erwiderte sie.

»Danke. Die *Sea Trench* ist nicht einfach nur ein Superboot mit Jerry Manning als seinem Superkapitän. Sie gehören zusammen, sind eine Einheit von Mensch und Maschine. Man kann nicht über das Boot sprechen, ohne vom Kapitän zu reden, und das gilt auch umgekehrt. Jerry Manning hat dieses Unterseeboot geschaffen. Jedes Stück ist von seiner Persönlichkeit geprägt. Ohne ihn gäbe es das Boot nicht. Noch etwas, und das ist der Kern: Die Marine sagt dem Kapitän, wo er mit der *Sea Trench* hin soll, mehr aber auch nicht. Sie schreibt ihm nie vor, wie er es anstellen soll. Das liegt ganz bei ihm. Er hat die Zügel in der Hand, und er muß für alles geradestehen. Wenn Sie wollen, können wir das ganze Gespräch auch vergessen. Ich –«

Er brach ab, als Chadwick und Templeton in Hörweite kamen. Er zwinkerte Miko zu. »Okay, Ende der Ansprache.« Er begrüßte die anderen. »Dr. Chadwick, Mr. Templeton, ich bin Fregattenkapitän Ryan.« Man schüttelte sich die Hände. »Das beste wäre, wir gingen gleich an Bord. Kommen Sie bitte mit.« Er setzte sich in Bewegung, und die anderen folgten ihm.

Templeton nickte in Richtung Ryan und sagte: »Er ist wenigstens ganz angenehm, nicht so geschäftsmäßig und steif wie der Kapitän.«

Plötzlich ging das Licht an und blendete Chadwick. Er kniff die Augen zusammen und hörte Ryan neben sich sagen: »Bewegen Sie sich bitte nicht.«

Wieder blitzte das Licht auf, diesmal in rasch wechselnden Farben. Chadwick preßte beide Hände gegen eine Metallscheibe. Ein Summton erklang.

»Wenn in fünf Sekunden ein grünes Licht aufleuchtet, nennen Sie bitte deutlich Ihren Namen, Dr. Chadwick«, wies ihn Ryan an.

Als sich das Licht zeigte, gab Chadwick seinen vollen Namen an. Zu seiner Linken öffnete sich eine Tür, und Ryan geleitete ihn hindurch.

»Danke, Sir«, sagte Ryan. »Jetzt hat Neptun Ihre Stimme, Ihr Gewicht, Ihre Fingerabdrücke, Irismuster und Ihr spezifisches elektrisches Potential gespeichert. Der Computer ist jetzt darauf programmiert, Sie zu identifizieren und einzulassen, Sie zu schützen und Ihnen zu helfen.« Er grinste. »Natürlich nicht unbedingt in dieser Reihenfolge. Neptun wird auch Befehle von Ihnen entgegennehmen, vorausgesetzt, diese stehen nicht im Widerspruch zum Hauptziel unserer Fahrt.«

Sie merkten jetzt, daß Ryan nicht nur freundlich sein konnte, sondern daß er auch kraftvoll und tüchtig war. Ryan wandte sich an Miko.

»Miss Stewart, ach Verzeihung, Dr. Stewart«, lachte er, »würden *Sie* jetzt bitte?«

Sie betrat die Identifizierungskammer und lächelte ihn an.

Ryan ließ sie alle vom Computer aufnehmen. Als sie weitergingen, gab er jedem eine Magnetscheibe, die um den Hals zu tragen war, dazu einen detaillierten Plan des Bootes, der ihnen die Orientierung auf den vier weitläufigen Decks erleichtern sollte.

Sie folgten ihm durch einen sanft beleuchteten Gang und bemerkten, daß Schotten und Türen Markierungen trugen. Ryan fuhr im Gehen mit seiner Einweisung fort.

»Sie sehen, daß alles durch Farben und Symbole doppelt gekennzeichnet ist«, erklärte er. »Wenn Sie Ihren Plan betrachten, werden Sie feststellen, daß wir uns dabei etwas gedacht haben. Am Ende jedes Ganges befindet sich ein grünes Telephon. Sollten Sie sich verlaufen, können Sie sich dort Hilfe holen.«

Er blieb vor einer Tür stehen, die rote Verbotsschilder trug. »Nun, mit den Magnetscheiben, die Sie tragen, und den Körpermerkmalen, die Neptun gespeichert hat, können Sie gewisse Räumlichkeiten nicht betreten. Das hier ist zum Beispiel die Waffenkammer. Da Ihre Arbeit mit ihr nichts zu tun hat, dürfen Sie nicht eintreten. Versuchen Sie bitte in Ihrem eigenen Interesse nie, einen Raum zu betreten, der für Sie verboten ist. Sie würden einen elektrischen Schlag erhalten, der Sie mit Sicherheit ohnmächtig werden ließe. Dort drüben befindet sich einer der Reaktoren. Sie können da nur in Begleitung eines Besatzungsmitglieds hinein, auf das der Computer entsprechend programmiert ist.«

Dr. Chadwick verzog das Gesicht. Die militärischen Vorschriften und Einschränkungen waren ihm schon zuviel, und er sagte spöttisch: »Dazu wird es vermutlich kaum kommen.«

Ryan sah ihn mit unbewegtem Gesicht an. »Daß wir in den Reaktorraum gehen? Doch, doch. Es steht als nächstes auf unserer Liste.«

Ryans freundliche Erwiderung verwirrte Chadwick. Er murmelte: »Entschuldigung, ich meinte die Waffenkammer hier.«

»Möchten Sie denn in die hinein?«

»Nein, natürlich nicht«, sagte Chadwick abwehrend.

Ryan überging den peinlichen Augenblick. »Gehen wir bitte weiter.«

Sie liefen durch eine Reihe von Gängen, erkletterten Leitern, stiegen andere hinab. Ryan blieb schließlich vor einer weiteren rot markierten Tür stehen. »Hier wohnt Neptun«, erklärte er.

Templeton kam näher. »Ich habe mich eine Zeitlang mit kybernetischen Systemen beschäftigt. Könnten wir –«

Ryan schüttelte den Kopf. »Tut mir leid, Sir. Durch diese Tür kann Sie nur ein einziger führen, und das ist Kapitän Manning. Jeder Versuch, hier einzudringen, würde vom Computer mit einem tödlichen Schlag abgewehrt werden.«

Man schwieg, weil darauf eigentlich nichts zu sagen war, und ging dann stumm hinter Ryan durch eine Reihe von Türen in einen weiteren Flur. Ryan sagte im Gehen: »Das Reaktorsystem der Sea Trench steht unter dem Kommando von Fregattenkapitän Matt Matthews. Drei Mannschaftsmitglieder sind rund um die Uhr mit der Überwachung der Anlage beschäftigt. Wir können hier herein, weil der Computer jeden mit einer Magnetscheibe einläßt, der sich in meiner Begleitung befindet. Außerdem hat Fregattenkapitän Matthews die Erlaubnis für Ihr Eintreten gegeben.«

Sie befanden sich vor einer Tür mit Warnschildern, und Ryan blickte zu einer Fernsehkamera hinauf, die den ganzen Bereich erfassen konnte. Er legte die rechte Hand auf eine Metallscheibe und steckte seine Magnetscheibe in einen Schlitz. Lichter leuchteten auf, und die Kamera bewegte sich leicht. Ryan sprach ein paar Codeworte. Die Neuankömmlinge waren überzeugt, daß sicher überall Mikrophone eingebaut waren.

Ein verborgener Lautsprecher antwortete. »Bitte warten. Die Magnetscheiben einführen.«

Sie steckten ihre Kennmarken in den Schlitz, und einer legte nach dem anderen die Rechte an die Metallscheibe. Zwei Stahltüren glitten geräuschlos auf. Sie betraten den Maschinenraum und blieben auf einem schmalen Laufgang stehen.

Sie hatten sich den Raum ganz anders vorgestellt. Es gab kein hämmerndes Stampfen, keine sausenden Zahnräder, keine Erschütterungen, keinen Ölgeruch. Statt dessen gab es eine tiefe Stille, ein leises Brummen, und die Luft war fast wie geladen mit Energie. Sie konnten riesige Schalttafeln mit buchstäblich Hunderten von Hebeln und Instrumenten sehen. Vor einer saß Korvettenkapitän Charles Autry, der eben Wache hatte. Er glitt mit seinem Sessel zu einer anderen Tafel, beugte sich vor, las die Meßinstrumente ab und stellte einige Regler nach. Er machte Eintragungen ins Logbuch und glitt dann zur nächsten Station. Er blickte auf, sah die Gruppe und winkte.

Sie folgten Ryan über eine Leiter in den Hauptkontrollraum hinab. Sie konnten kaum glauben, in einem U-Boot zu sein, so mächtig wirkte er. Ryan blieb vor einer gläsernen Wand stehen.

»Matthews kann uns jetzt nicht begrüßen, und Autry ist beschäftigt und darf nicht gestört werden. Wir können ein anderes Mal wieder herkommen, aber ich dachte mir, Sie würden unseren Hauptmaschinenraum ganz gern sehen.«

Miko wollte wissen, ob sich Fregattenkapitän Matthews auch in dem Raum befände.

Ryan zeigte auf einen gläsernen Befehlsstand. Alle hielten wie auf Kommando die Luft an, denn Matthews hatte ein Gesicht, das einmal schwer verletzt worden und dann wieder zusammengeflickt worden war, eine beinahe furchterregende Maske.

Miko holte tief Luft. Sie nahm Ryans Arm und sagte leise: »Tut mir leid.«

Ryan lächelte leicht. »Daß Sie sich erschrocken haben?«

»Ja«, gab sie zu.

»Das macht Sie mir besonders sympathisch«, sagte er. »Danke, Dr. Stewart.«

»Ich würde mich freuen, wenn Sie mich von jetzt an Miko nennen würden.« Er drückte ihr die Hand.

Er brachte sie aus dem Reaktorraum über weitere Gänge zu einer gelben Tür, die sich wie von selbst öffnete. »Der Druck auf den Boden läßt sie automatisch aufgehen«, erklärte er. »Hier brauchen wir keine Magnetscheiben.«

Sie betraten einen weiten, in heiteren Farben ausgestatteten

Raum. »Hier trifft und entspannt man sich. Hier versammeln wir uns auch ganz zwanglos. Sie entschuldigen mich jetzt eine Weile. Diesen Gang entlang finden Sie Ihre Kabinen, die mit Ihren Namen gekennzeichnet sind. Alles, was Sie persönlich brauchen, werden Sie auch auf diesem Deck finden.«

»Mr. Ryan, wann können wir unsere Laboratorien und Arbeitsplätze besichtigen?« fragte Chadwick.

»Heute, aber erst etwas später«, antwortete Ryan. »Und jetzt entschuldigen Sie mich bitte.« Er war schon fast aus dem Raum, als Templeton noch etwas auf dem Herzen hatte.

»Fregattenkapitän, bitte noch eine Frage . . .«

Ryan drehte sich um.

»Wann verlassen wir das Trockendock? Ich meine, wann gehen wir auf Fahrt?«

Ryan lächelte. »Ich dachte schon, Sie würden die Frage vergessen.« Er ging zu einer Reihe von Schaltern an der Wand und legte einen Hebel um. Die Lichter verlöschten, und ein großer Teil der Wand wurde durchsichtig. Sie blickten ins Meer hinaus. Fische sausten mit verblüffender Geschwindigkeit vorbei.

»Ich dachte mir, daß Ihnen das gefallen würde«, sagte Ryan. »Genießen Sie die Aussicht. Wir sind schon 230 Kilometer vom Festland entfernt.«

9

Jerry Mannings Gesicht war so unbewegt, als sei es aus Marmor. Lange starrte er auf die Befehlszentrale der Brücke mit ihren Lichtern, Hebeln und Instrumenten. Mit ihm waren auf der Brücke: Fregattenkapitän Peter Williams, groß, schlank, blond und eher wortkarg; der Einsatzoffizier Christ Patterakis, braun, kraushaarig und untersetzt; Al MacKinney, ein großer, kräftig gebauter Mann, dessen entspannte Miene einen darüber hinwegtäuschen konnte, daß man den Waffenoffizier des Bootes vor sich hatte.

Die Befehlszentrale war eine halbrunde Anlage mit Computeranzeigen und Tastaturen mit einem kleinen Zug zum Schrulligen. Auf dem Sitz davor stand nämlich NEPTUN. Der Offizier an der Handsteueranlage, die den Computer übergehen konnte, war immer an seinem Sitz angeschnallt, hatte die Hand leicht auf dem Steuerknüppel liegen und die Füße an den Ruderpedalen. Der Mann, der die *Sea Trench* steuerte, war zugleich U-Boot-Kommandant, Jagdfliegerpilot und Astronaut.

Hinter Manning glitt eine Tür auf. Ryan trat neben ihn. »Wir haben Gesellschaft«, bemerkte Manning.

Die beiden Männer blickten nach links. »Wie lange schon?« wollte Ryan wissen.

Manning lächelte schmal. »Mr. Ryan, ich glaube, die haben auf uns gewartet.«

Sie blickten weiter auf einen abgedunkelten Teil der Brücke, an dem eine Art geheimnisvoller Nebel über einer weiten runden Platte schwebte, die von optischen Geräten umgeben war. Licht bog sich, wechselte seine Farbe, während sie noch immer zu dem Gerät hinsahen.

Ryan unterbrach das kurze Schweigen. »Glauben Sie, daß die über uns Bescheid wissen?«

Manning schüttelte kaum merklich den Kopf. »Nein. Ihre Aufklärung weiß, daß etwas läuft, aber sie weiß nicht genau, was. Sie wollen sich also auf nichts einlassen, passen uns ab und verfolgen uns.«

Während er sprach, verdichteten sich die Lichterscheinungen vor ihren Augen. Ein kleines Abbild des U-Bootes tauchte in dem künstlichen Meer vor ihnen auf, und sie konnten zusehen, wie sie ganz winzig durch die Tiefe glitten.

»Wir können sie leicht abhängen, Kapitän.«

»Unsere Geschwindigkeit würde uns verraten.« Manning überlegte einen Augenblick. »Sie wüßten dann zuviel über uns.« Manning gab Williams einen Wink. »Machen Sie den Maßstab größer.«

Das winzige Abbild der *Sea Trench* wurde noch kleiner, und in einiger Entfernung hinter ihr tauchte plötzlich ein zweites U-Boot auf.

»Aha«, sagte Ryan grinsend. »Ich sehe, unsere Freunde kommen näher.«

Manning nickte. »Tut ihnen gut. Sie sollen nur noch ein biß-chen näher kommen.« Er wandte sich an den anderen Mann auf der Brücke. »Chris, schnallen Sie sich an, und halten Sie sich bereit.«

Patterakis ging zum Steuersitz, legte die Gurte an und bereitete alles für die Übernahme durch Handsteuerung vor.

»Handsteuerung bereit, Sir.«

Manning nickte wieder. »Mac, sind Sie soweit?«

MacKinney saß vor seinen Tasten und Hebeln und hatte die Finger auf verschiedenen Knöpfen liegen. »Ja, Sir«, sagte er.

»Pete«, fragte Manning Williams, »wie weit ist die *Albacore* entfernt?«

»Sie kommt jetzt gleich in den Bereich des Holos. Noch drei Minuten bis Schießentfernung.«

»Sehr gut«, meinte Manning. »Chris, wenn ich rufe, gehen Sie auf vollen Schub. Mac, wenn wir gezwungen sein sollten –«

Neben dem Eingang ertönte ein Summer. Er blickte auf einen Bildschirm und sah das Gesicht von Miko Stewart.

Ryan warf einen Blick auf den Kapitän. »Soll sie draußen bleiben?«

Mannings Antwort überraschte ihn. »Herein mit ihr!«

Ryan öffnete die Tür und führte Miko an Mannings Seite. Manning blickte nicht hoch. »Miss Stewart, das Boot befindet sich in Gefechtsbereitschaft«, sagte er plötzlich.

Sie riß die Augen auf.

»Kommen Sie näher«, sagte Manning. »Ich möchte, daß Sie es selbst sehen.«

Sie bewegte sich auf das Schaubild zu, und der magische Apparat schlug sie in seinen Bann. »Ich – ich weiß nicht, was das hier ist.«

»Sie sehen eine holographische Laserprojektion, die unser Computer möglich macht«, erklärte Manning. »Alles, was unser Sonar oder unsere grünen Maser aufnehmen, wird in den Computer eingespeist. Neptun kennt jedes bekannte Unterseeboot der Welt. Der Computer erstellt dann das Bild, das mit Laser vor uns projiziert wird. Wir sehen also verkleinert vor uns, was um uns im Meer vor sich geht.«

Ganz so einfach war das technisch nicht, aber im tiefen Ozean nützt einem das Licht nichts mehr, weil es verzerrt und gebrochen wird. Der Mensch muß es den Delphinen nachmachen und sich akustisch orientieren. Das Sonar kann aber immer noch durch Temperaturunterschiede, verschiedenen Salzgehalt des Wassers oder durch Lebewesen entstellt werden. Raffinierte elektronische Einrichtungen sorgten jedoch dafür, daß diese Fehlerquellen ausgemerzt wurden.

Auf der Anzeigetafel erschienen Zahlen. Williams drückte einen Knopf mit der Aufschrift ›Stimme‹, und der Computer setzte seine Daten in Laute um, damit jeder auf der Brücke Anwesende hören konnte, welche Informationen durchgegeben wurden. Aus den verdeckten Lautsprechern tönte eine klangvolle Stimme: »*Hing Pao*, siebentausend Tonnen, vierzig Knoten, Zerstörerklasse, acht Rohre vorn, vier achtern, gegenwärtige Tiefe 2300 Meter, Geschwindigkeit sechsunddreißig Knoten voraus, holt langsam auf.«

Am äußersten Rand der holographischen Projektion erschien ein drittes U-Boot, und es war deutlich zu sehen, daß es seinen Abstand zur *Hing Pao* verringerte.

»Die *Albacore* wird jetzt jeden Moment ihre Aufmerksamkeit erregen«, erklärte Manning.

»Sie sagten, wir befänden uns in Gefechtsbereitschaft«, meinte Miko zögernd.

»Sehen Sie selbst«, antwortete Manning hartnäckig. »Da, dieses chinesische Boot, die *Hing Pao*. Seit wir San Diego verlassen haben, verfolgt sie uns. Ich kann mir vorstellen, wie ihre Sonar-Leute wie die Wahnsinnigen versuchen, unsere Größe festzustellen.«

»Aber – aber das bedeutet doch nicht, daß Sie versuchen werden –, ich meine, wir befinden uns doch mit China nicht im Krieg.«

»Manche Leute glauben wirklich, was Sie eben gesagt haben.«

Sie sprach jetzt mit größerer Bestimmtheit. »Ach, lassen Sie doch, Kapitän. Dramatisieren Sie das Ganze nicht ein wenig zu sehr?«

Manning zeigte keine Reaktion. Er sah geradeaus, als er ihr antwortete: »Miss Stewart, ich sage Ihnen zum letztenmal, daß sich dieses Boot in Gefechtsbereitschaft befindet. *Hing Pao* ist ein Kriegsschiff, und ihr Kapitän täte jetzt nichts lieber, als uns abzuschießen. Er ist sich nur noch nicht ganz sicher, mit wem er es zu tun hat.«

»Aber –«

»Mr. Ryan, weisen Sie Miss Stewart darauf hin, daß sie zu schweigen hat. Andernfalls muß sie von der Brücke.«

Sie starrte Manning mit offenem Mund an. Ungläubig blickte sie zu Ryan hinüber. Der nickte langsam. Manning hatte es ernst gemeint.

MacKinney sagte: »Sir, wir haben eine verschlüsselte Sonar-Meldung von der *Albacore*. Sie wird in neunzig Sekunden anfangen.«

»Sehr schön«, sagte Manning knapp. »Mr. MacKinney, halten Sie die Lärmer bereit. Die ganze Breite, alle Torpedos.«

Miko erbleichte, als sie ›Torpedos‹ hörte, und als sie etwas sagen wollte, sah sie, wie ihr Ryan einen warnenden Blick zuwarf. Sie preßte die Lippen aufeinander, und ihre Unruhe wurde immer größer. Sie zwang sich, unverwandt auf die holographische Projektion zu blicken.

»Dreißig Sekunden«, rief MacKinney.

»Verstanden«, sagte Manning. »Achtung, Handsteuerung.«

»Handsteuerung bereit«, hörte man Patterakis.

»Zehn Sekunden«, kündigte MacKinney an.

»Torpedos abfeuern, sobald die *Albacore* gefeuert hat!« befahl Manning. Er wandte sich an Miko. »Halten Sie sich gut an dem Griff dort fest!«

Er wie auch Ryan hielten sich ebenfalls fest. Auf der Anzeigetafel vor ihnen blitzten Zahlen eines Countdowns auf. Weit hinter ihnen feuerte das amerikanische Kriegsschiff eine Reihe Torpedos ab, und MacKinney drückte auf seine Knöpfe.

Miko stöhnte leise auf. Auf dem Hologramm konnte man sehen, wie sich kleine Schatten von der *Sea Trench* lösten und auf die *Hing Pao* zueilten. Kreischender Lärm erfüllte die Tiefen. Die Hydrophone übertrugen den Lärm zur Brücke, und er schmerzte in den Ohren. Manning und Ryan sahen sich an und lächelten.

Tief im Wasser explodierten plötzlich drei Torpedos und schickten einen dichten Schleier wild tanzender Luftblasen in die Höhe.

»Mr. Patterakis! Volle Kraft voraus in die Tiefe!«

Die *Sea Trench* wurde spürbar schneller. Man konnte die großen Hydrojets summen hören und fühlen, wie sie das Boot vibrieren ließen.

»Mr. MacKinney! Sichern und in Bereitschaft bleiben!«

»Verstanden, Sir.«

»Mr. Williams?«

Der zögerte einen Augenblick und sagte dann mit dem Kopf nickend: »Die haben genug, Kapitän.«

Man konnte sehen, wie sich Manning entspannte. »Sehr schön, meine Herren. Mr. Ryan, Sie übernehmen das Kommando.«

»Ja, Sir.« Er schlüpfte auf einen Sitz, der vor einer Reihe von Kontrollinstrumenten stand.

Miko konnte ihren Zorn nicht länger zügeln. Sie trat mit blitzenden Augen vor Manning hin. »Ihr Schweigebefehl kann mir gestohlen bleiben. Ich –«

»Bitte, reden Sie nur frei von der Leber weg«, unterbrach er sie. »Wir sind nicht mehr in Gefechtsbereitschaft.«

Sie rang um Fassung, atmete tief und konnte das schmale, wissende Lächeln auf Mannings Gesicht nicht ausstehen. »Sie haben mit Ihrer Bande von Halsabschneidern die gesamte Besatzung des chinesischen U-Bootes ermordet. Und das ohne jede Warnung! Sie haben Menschen ermordet, mit denen wir uns nicht im Krieg befinden, die keinen einzigen Schuß auf uns abgefeuert haben!«

»Sind Sie fertig, Miss Stewart?«

Sie konnte ihn kaum noch ertragen, und der Schreck stand ihr deutlich ins Gesicht geschrieben. »Ob ich fertig bin? Mein Gott, haben Sie denn überhaupt keine Gefühle? Ich kann es gar nicht glauben!« Sie holte wieder tief Luft, und ihre Stimme war plötzlich kalt und beherrscht. »Sie wissen, daß Sie mich nicht zwingen können, Stillschweigen über die Sache zu bewahren. Ich will nicht die Mitwisserin eines Massenmordes sein, und –«

»Wir haben niemanden ermordet.«

»Ich habe doch alles mitangesehen!«

»Miss Stewart.« Seine Kälte war das genaue Gegenteil ihrer Erregung. Er wartete, bis sie sich ein wenig beruhigt hatte, und fuhr dann fort: »Ich sagte Ihnen doch, daß die *Hing Pao* ein Kriegsschiff ist, das uns aufgelauert hat. Wir wußten von ihrem Auftrag, wußten immer, wo sie sich aufhielt, und haben uns vorbereitet. So, wie die *Hing Pao* uns verfolgte, so ist sie wieder von der *Albacore* verfolgt worden. Als der Feind –«

»Sie sagen Feind! Wir kämpfen doch nicht gegen –«

»Wenn Sie mich noch einmal unterbrechen, haben wir uns jetzt und für den Rest der Reise nichts mehr zu sagen.«

Bill Ryan glaubte, ihre Augen würden im nächsten Moment Feuer sprühen. Er sah, wie sich ihre Fingernägel in die Handflächen eingruben, und hörte, wie sie eine knappe Entschuldigung über die Lippen brachte.

Manning fuhr dann ruhig fort: »Die Torpedos der *Albacore* waren so eingestellt, daß sie in einem hübschen Kreis um die *Hing Pao* detonierten.« Er machte eine Pause und sah sie eisern an. »Sie detonierten etwa tausend Meter entfernt von dem chinesischen Boot. Als sie explodiert waren, war jedem an Bord der *Hing Pao* völlig klar, daß die *Albacore* die Torpedos auch ins Ziel hätte schießen können.«

Er sah sie jetzt weniger hart an, spürte, wie sehr sie von ihren Gefühlen hin und her gerissen wurde. »Haben Sie mir soweit folgen können, Miss Stewart?«

Sie schüttelte verwirrt den Kopf. »Aber – aber Sie, ich meine wir, dieses U-Boot hat doch auch Torpedos abgefeuert. Ich hörte, wie Sie den Befehl gaben, und ich weiß, wir –«

Er sagte leise, aber unnachgiebig: »Unsere ersten Torpedos, Miss Stewart, waren Lärmer, die den Chinesen rechtes Kopfweh machen sollten. Sie haben das Sonar, mit dem uns die Chinesen aufnahmen, zerstört. Sonst haben sie nichts angerichtet. Die zweite Salve Torpedos ließ einen dichten Vorhang von Luftblasen aufsteigen, die jegliche Verfolgung über ein Sonar, das die Druckwellen der Torpedos von der *Albacore* oder unsere Lärmer überlebt haben mochte, unmöglich machten. Wir haben den Chinesen also nur ein gewaltiges Kopfweh verpaßt und Verwirrung unter sie gebracht, und im Verlauf der ganzen Sache sind wir verschwunden, ohne den Chinesen auch nur ein Haar gekrümmt zu haben.«

10

Die Tür zur Brücke ging auf. Fregattenkapitän Syd Prentiss kam auf sie zu. Manning mußte ganz leicht lächeln. Syd war genau im rechten Augenblick gekommen.

»Miss Stewart«, sagte Manning, »ich bin sicher, Sie möchten gern die Laboratorien sehen. Das hier ist Fregattenkapitän Prentiss. Er wird Sie hinbringen und Sie mit allen Kräften unterstützen.«

Prentiss, ein zurückhaltender und gleichzeitig charmanter Mann, gab ihr die Hand. »Dr. Stewart, es ist mir eine Freude. Ich glaube, Sie werden mit den Laboratorien, die wir eingerichtet haben, zufrieden sein. Wollen Sie bitte mitkommen?«

Sie nickte, drehte sich um, um sich von Manning zu verabschieden. Verwirrt sah sie, daß er verschwunden war. Sie sah zu Prentiss auf. »Ja, ich komme.«

Als sie die Brücke verlassen hatte, schauten sich die Offiziere grinsend an. »Der Alte hat's noch nicht verlernt«, sagte MacKinney.

»Darauf können Sie sich verlassen«, murmelte Ryan. »Okay, Leute, wagen wir uns weiter in die Tiefe vor.«

Die Hydrophone brachten die Geräusche des Meeres herein. Die *Sea Trench* glitt sehr langsam mit schwachem Schub weiter, um die akustischen Störungen so gering wie möglich zu halten. Fregattenkapitän Prentiss hatte langsame Torpedos mit Unterwassermikrophonen ausgeschickt, die per Draht alle Geräusche übertrugen, die im Wasser zu hören waren.

In einem der Beobachtungsräume befanden sich Dr. Chadwick, Larry Templeton, dazu Richard Castillo und Prentiss. Der Raum war völlig abgedunkelt, und ein Teil der Wand war durchsichtig gemacht worden. In der Finsternis waren Trommelschläge zu hören, die plötzlich fast schmerzhaft laut werden konnten. Chadwick beugte sich vor und stellte die Lautsprecher etwas leiser.

»Trommelfische«, sagte er ruhig, als ein Schwarm im Scheinwerferlicht auftauchte. »Ich hab' noch nie so viele auf einem Haufen gesehen.«

»Dieses Geräusch«, erklärte Castillo, »klang wie ein Baß, nur viel intensiver und hat wirklich wehgetan.« Er rieb sich die Ohren. »Wie erzeugen sie die Töne?«

Chadwick sagte: »Sie haben luftgefüllte Blasen, gegen die sie einen Muskel schnellen lassen. Wenn man eine Menge über die Hydrophone oder direkt im Wasser hört, kann man wirklich Ohrenschmerzen bekommen.«

Prentiss lachte: »Nun, zehntausend von ihnen sind tatsächlich nicht zu überhören.«

Templeton nickte. »Die Trommelfische sind eigentlich gar nicht so schlimm. Am schrecklichsten sind die Knurrhähne. Da wird das Meer zu einem Alptraum.«

»Sie meinen, die sind schlimmer als das, was wir jetzt hören?« fragte Castillo.

»Ja. Die können wie Tausende von Leuten klingen, die mit Stöcken gegen hohle Bäume schlagen.«

»Aber erst die Seelöwen«, sagte Chadwick. »Die brüllen schauriger als hungrige Löwen. Ich weiß nicht, wie sie das machen.«

»Merkwürdig«, sagte Castillo. »Vielleicht erzählen sich die etwas.«

»Die unterhalten sich einfach«, sagte Jessica. »Wissen Sie, einfach so zum Spaß.« Sie sah Miko an. »Habe ich recht?«

Miko blickte vom Tonbandgerät auf. Sie hatten sich stöhnende, quietschende Schreie angehört. Sie drehte die Lautsprecher leiser und nickte. »Sie haben recht. Es macht ihnen Spaß. Das sind keine Warnlaute.«

Sie lehnte sich zurück und machte es sich bequem. »Jessica, woher wissen Sie, daß sich die Wale nur unterhalten? Sie sind noch so jung –«

»Ich weiß nicht. Ich spüre das einfach. Ich fühle innerlich, was sie sich sagen wollen, wenn sie sich rufen.«

»Sie haben meistens recht gehabt.« Miko lächelte. »Ich habe es Ihnen noch nicht gesagt, aber ich hatte schon früher von Ihnen gehört.«

»Das freut mich«, erwiderte Jessica und errötete.

»Sie können die Wale wirklich verstehen?«

Jessicas Augen leuchteten. »Ja, ja. Ich weiß gar nicht, wie es anfing, aber beim Tauchen habe ich einmal Delphine gesehen und gehört, und ich nahm den Schnorchel aus dem Mund und gab Geräusche von mir. Ich weiß gar nicht, was ich sagte, aber irgendwie war es das Richtige, und plötzlich waren sie da und rieben sich sanft an mir. Sie begleiteten mich bis zum Ufer, und als ich am nächsten Tag wieder hinausschwamm, warteten sie auf mich. Ich blieb im flachen Wasser, und wir spielten, und ich tauchte und redete mit ihnen, und sie verstanden mich, und ich wußte irgendwie immer, was sie mir sagen wollten.« Sie schüttelte verlegen den Kopf.

»Jessica, ich möchte Sie etwas fragen. Eine persönliche Frage, die Sie nicht zu beantworten brauchen.«

»Ach, Sie können mich alles fragen.«

Miko suchte nach Worten. »Es ist mehr als Neugier. Ihre Fähigkeit, Ihr Talent ist etwas, das so wichtig für uns sein kann, und ich weiß kaum etwas über Sie, über Ihre Jugend.«

Jessica verschränkte fest die Hände, bis die Knöchel fast weiß wurden. »Sie wissen sicher, daß ich keine Amerikanerin bin, nicht wahr?«

Miko schüttelte den Kopf. »Ich weiß gar nichts, weiß nichts über Ihre Familie, über Ihre Ausbildung, wie Sie zu uns gekommen sind.«

»Meine Familie – nun, ich glaube, man kann sie Zigeuner nennen«, sagte Jessica langsam. »Ich weiß, daß sie aus Ungarn oder vielleicht Rumänien stammt.«

»Wie sind Sie –«

»Wie ich in die Vereinigten Staaten gekommen bin?«

Miko nickte.

»Ich weiß das nicht genau, nur so im großen und ganzen.«

»Das würde ich gern hören.«

»Wir waren sehr arm. Und ich weiß auch, daß wir irgendwie auf der Flucht waren. Ich kann mich erinnern, daß meine Mutter sagte, Vater hätte Angst vor dem Krieg und den Russen. Wir verkauften alles, flohen, kamen irgendwie auf ein Schiff. Wir hatten nicht genug Geld, um fliegen zu können, und nahmen ein Schiff, das uns nach Südamerika bringen sollte. Ich hatte das Meer noch nie gesehen und war völlig hingerissen. Wir waren in der Nähe der südamerikanischen Küste, als der Krieg ausbrach. Auf jeden Fall wurde der Himmel sehr hell, und nachts kam dann auch die Flutwelle.«

»Die Flutwelle?«

»Sie muß durch die Bombe ausgelöst worden sein, die den Panamakanal zerstörte. Ich weiß nur, daß ich wegen der Hitze an Deck schlief. Ich wachte wegen eines schrecklichen Getöses auf. Der Mond schien, und ich sah eine riesige Wasserwand auf uns zukommen. Sie brach ohne Warnung über das Schiff herein. Ich war plötzlich im Wasser, und ich glaube, ich habe geschrien. Ich habe das Schiff und die Menschen darauf nie wiedergesehen, aber irgend etwas hielt mich an der Oberfläche. Ich war ein kleines Mädchen, und ich spürte die warmen Körper, die mich nicht untergehen ließen. Ich konnte schwimmen, aber das war etwas anderes, und die hielten mich die ganze Nacht über Wasser, und ich bin, glaube ich, sogar ein paarmal eingeschlafen. Als der Morgen kam, war die See ruhig, und ich konnte niemanden sehen, und dann erblickte ich die großen Flossen, die aus dem Wasser ragten.«

»Haie?«

»Ach nein, die Tiere wollten mir nichts antun.«

»Wie wußten Sie das?« fragte Miko und sah ihr in die Augen.

»Nun, sie hatten mich die ganze Nacht über Wasser gehalten. Es waren große Schwertwale. Ich hätte eigentlich wahnsinnig vor Angst sein müssen, ich meine, ich wußte, daß meine Eltern und alle Menschen, die auf dem Schiff gewesen waren, tot sein mußten, aber ich fürchtete mich nicht, und die Schwertwale blieben bei mir, und ich lag auf einem der Tiere. Es war riesengroß. Und gegen Mittag sah ich ein kleines Fischerboot auf mich zukommen. An Bord waren ein paar Fischer, die große Angst hatten, weil ein paar Wale das Schiff in meine Richtung gedrängt hatten. Die Wale warteten, bis mich die Fischer an Bord genommen hatten. Die Leute sahen mich an, als wäre ich ein fremdes Wesen. Als wir einen Hafen erreicht hatten, schaffte man mich in ein Krankenhaus, und man stellte mir eine Unmenge Fragen, und dann kamen Leute, die mich in ein Flugzeug setzten und an einen Ort brachten, wo es viele Menschen in Uniform gab –«

»Den Rest kenne ich«, sagte Miko leise. »Man brachte Sie ins Markinson-Institut.«

»Genau. Woher wissen Sie das?«

»Ich habe von dort Berichte über Sie bekommen, in denen vieles über Sie steht, aber weniges über Ihre Vergangenheit. Nach etwa einem Monat wurden Sie Pflegeeltern übergeben, nicht?«

Jessica nickte. »Bill und Emily Ames. Herrliche Leute. Sie waren wie Eltern zu mir. Den Rest kennen Sie ja.«

Miko nickte. Als der amerikanische Konsul in dem kleinen mittelamerikanischen Land von dem seltsamen Mädchen gehört hatte, das die Wale gerettet hatten, waren von Washington aus alle Hebel in Bewegung gesetzt worden, es in die Vereinigten Staaten zu bringen. Man wollte sehen, über welche besondere Begabung es verfügte und ob man diese weiterentwickeln konnte. Man schuf dem Mädchen eine Heimat und ließ es in guten Schulen erziehen, mit offensichtlich bestem Erfolg.

»Jessica, wie erklären Sie sich die Tatsache, daß Sie Tiere verstehen?«

»Das muß etwas mit PSI zu tun haben, denke ich mir«, sagte sie langsam.

»Verstehe«, nickte Miko.

»Wirklich?«

»Ja, bestimmt«, sagte Miko mit Nachdruck. »Sehen Sie, ich habe sehr lange mit Delphinen gearbeitet. Ich wünschte nur, ich könnte auch so direkt Verbindung mit ihnen aufnehmen wie Sie.«

»Ich kann es Ihnen zeigen, wenn Sie möchten.«

»Das wäre herrlich«, sagte Miko und runzelte dann die Stirn.

»Das könnte mir vielleicht helfen, ah –«

Jessica lachte und sagte: »Einen besseren Kontakt zu Kapitän Manning zu finden?«

Miko seufzte tief und nickte. »Der Mann ist wie von einer Mauer umgeben. Immer wenn ich meine, ich verstehe ihn, tut er etwas, das mich in Wut versetzt, und dann –«

»Dann merken Sie, daß er es ganz bewußt machte und recht hatte, und zwar immer.«

»Immer?«

»Darauf läuft es hinaus«, sagte Jessica lachend. »Er ist der faszinierendste Mensch, den ich je gesehen habe. Ohne ihn gäbe es dieses U-Boot nicht. Miko, er ist so in seine Arbeit eingespannt, hat so große Verantwortung, und trotzdem hat er sich, als wir herkamen, stundenlang um uns gekümmert. Er hat mir richtig den Kopf verdreht, wirklich.« Sie blickte Miko vorsichtig an. »Ich glaube, wenn Sie sich ein wenig öffnen, werden Sie genau wie ich denken.«

Miko starrte das Mädchen an. »Nun, lassen wir das für den Augenblick. Hören wir uns noch ein paar Bänder an.«

Der schwarze Ball schwebte anscheinend in der Luft, und dann schmetterte ihn eine behandschuhte Faust gegen eine Wand. Jerry Manning und Bill Ryan waren von nackten Wänden umgeben. Die beiden Männer trugen Turnkleidung und spielten ein anstrengendes Ballspiel, um sich von ihrer Arbeit zu erholen.

Ryan gab den Ball zurück und sagte dabei: »Ich glaube, wir haben die Chinesen ein bißchen durcheinandergeschüttelt.«

»Allerdings«, sagte Manning und schleuderte den Ball zurück.

»Was ist mit der *Albacore*?«

»Die wird den Chinesen auf den Fersen bleiben.«

»Und unser anderes kleines Problem?«

Manning antwortete nicht sofort. Er ließ einen mörderischen Ball los und machte einen Punkt. Er nahm den Ball an sich, blieb stehen und atmete tief durch. Er warf Ryan einen Blick zu. »Sie spielen hier mit Worten, mein Lieber.«

»Sie weichen recht gut aus«, sagte Ryan und grinste.

»Sie meinen Miko?«

»Ach, Miko heißt sie?«

»Schlau und gerissen«, sagte Manning, »und kann einem auf die Nerven gehen.«

»Aber sie sieht gut aus.«

»Warum versuchen Sie es dann nicht bei ihr?«

Ryan zuckte leicht mit den Schultern. »Als Mann muß man vorsichtig sein. Diese dunklen Augen! Vielleicht wird plötzlich Ernst daraus, und was mache ich dann?«

Manning warf den Ball dicht an seinem Kopf vorbei, und sie mußten lachen. Dann spielten sie weiter.

Williams nahm den Hebel in die Hand und zog ihn langsam auf sich zu. »Wir schweben jetzt, Sir«, meldete er Manning.

Der Kapitän nickte ihm vom Kommandoposten aus zu. »Sehr schön. Mr. Sparco?«

»Sir?«

»Bitte, das Empfangsgerät steigen lassen.«

Der Offizier, der Funkdienst hatte, drückte auf Knöpfe, und ein rotes Licht blinkte auf.

An der Außenwand öffnete sich eine Luke. Eine metallisch glänzende Kugel stieg in die Höhe und zog einen dünnen Draht hinter sich her.

Auf der Brücke leuchteten Meldelampen auf. »Ist auf dem Weg, Sir«, sagte Sparco.

Sie warteten, bis die Kugel die Oberfläche erreicht hatte. Weit über ihnen tanzte sie in den Wellen, stabilisierte sich und fuhr eine lange Antenne aus. Augenblicke später empfing sie Signale, die über Satelliten übertragen wurden.

Auf der Brücke schaltete Sparco ein Tonbandgerät ein, blickte auf seine Instrumente, regelte etwas nach und sagte zu Manning: »Wir sind fertig, Kapitän.«

Manning nickte. »Gut, dann weg mit dem Ding.«

Hoch über ihnen blitzte Licht auf, als eine Detonation die Meldekugel zerriß.

Manning und Ryan verließen zusammen die Brücke, gingen in die Funkkabine und lasen die Meldung, die eben angezeigt wurde.

»Alles in Ordnung«, sagte Manning. »Keine Berichte über andere U-Boote in diesem Teil des Aleutengrabens.«

»Aber eine Riesenmenge im Südatlantik.«

»Der Admiral weiß eben, wie man die Leute an der Nase herumführt. Alle sind sie hinter unseren Booten dort her, um zu versuchen, als erste das Öl in die Finger zu bekommen.«

Sie kehrten zur Brücke zurück und sahen sich das holographische Bild an. Manning schloß das System an das Navigationssonar an. Vor ihren Augen begann das Licht zu schwirren, als die Laser aufleuchteten, und dann war plötzlich das Bild klar, eine räumliche Projektion des nördlichen Pazifiks, wobei Längen- und Breitengrade eingeblendet waren. Die *Sea Trench* erschien als kleiner, schwach glimmender Lichtpunkt.

Sie sahen sich das Bild stumm an. Es verblüffte sie immer wieder, wie gebirgig und zerrissen der Meeresboden aussah. Es war, als befänden sie sich im Raum und blickten auf den Grund eines wasserlosen Ozeans. Ein weißer Lichtpunkt blitzte auf und zog ihren Blick auf sich.

»Das ist die Stelle, Kapitän«, bemerkte Ryan. »Genau 454 Kilometer westlich Amchitka.«

»Noch elf Stunden«, sagte Manning. »Sorgen Sie dafür, daß sich unsere Passagiere eine Stunde vor Erreichen dieser Stelle im Beobachtungszentrum einfinden.«

»Ja, Sir.« Ryan blickte Manning an. »Sie sind beunruhigt?«

Manning nickte. »Ich bin gar nicht zufrieden mit dem Bericht des Admirals. Ich möchte, daß Sie die Brücke übernehmen, bis wir an unserem vorläufigen Ziel angekommen sind. Alle Sensoren auf Alarmstufe halten, ich möchte, daß MacKinney auf seinem Posten ist.«

»Jerry, haben Sie das Gefühl, als ob es Ihnen kalt über den Rücken läuft?«

»Ja, genau.«

Sie kamen einer nach dem anderen in das Beobachtungszentrum im Bug. Sie befanden sich zum ersten Mal im vordersten Teil des U-Bootes, und die Weite des Raumes setzte sie in Erstaunen. Die

Sitze waren fast wie in einem kleinen Theater angeordnet. Die Reihen waren halbmondförmig zur Fahrtrichtung ausgerichtet. Die Sitze waren bequem gepolstert, und ihre Armlehnen enthielten Knöpfe, mit deren Hilfe alle möglichen Funktionen geregelt werden konnten. Die beiden mittleren Sitze waren vom Rest abgesondert, standen tiefer und hatten sämtliche Bedienungseinrichtungen neben ihren Armstützen. Jeder Sitz war mit einem automatischen Sicherheitsgurt ausgerüstet. Zwischen den beiden vordersten Sitzen und der halbkreisförmigen Anordnung hinter ihnen war eine zweite holographische Projektionsfläche angebracht. Als die Gruppe den Beobachtungsraum betrat, wurde Miko Stewart zu ihrer Überraschung von Manning zu dem Sitz zu seiner Rechten, zum zweiten Kommandositz, geführt.

Manning beugte sich vor, bediente Knöpfe neben seinen Armlehnen, und das Hologramm leuchtete auf und zeigte den Meeresboden in der Umgebung des Alëutengrabens. Er legte einige Hebel um, und aus seinem Sitz schoben sich weitere Schalttafeln, über die er jeden Teil des Bootes erreichen konnte. Plötzlich schwenkte er seinen Stuhl herum und sah die anderen an. Miko brauchte einige Augenblicke, bis sie es ihm nachgemacht hatte. Die holographische Projektion befand sich jetzt zwischen ihnen und den restlichen Leuten im Raum. Manning ließ seinen Blick über die anderen schweifen, die ihn ansahen und darauf warteten, gesagt zu bekommen, was als nächstes geschehen werde.

»In einigen Minuten werden wir den Punkt erreichen, an dem unsere Tauchfahrt in die Tiefe beginnt«, sagte er. »Ich werde mich kurz fassen. Unser Computer ist so programmiert, daß er die Tauchfahrt wiederholt, die Chadwick und Templeton in ihrer *Sea Search* als erste gemacht haben, und der dann Ritter mit seiner Mannschaft mit der *Swimmer IV* gefolgt ist. Sie alle wissen, daß *Swimmer IV* nicht zurückgekehrt ist, und Sie sollen wissen, daß wir versuchen werden, das zu wiederholen, was sich auf Ritters Tauchfahrt zugetragen hat. Ganz wörtlich verstanden ist das natürlich unmöglich. Wir haben Lebewesen nicht in der Hand, und es ist unvorhersehbar, wie sich Salzgehalt, Strömungen und Temperatur verhalten werden. Im weitesten Sinne ist es jedoch möglich. Wenn wir Glück haben, wird dieses Boot die Aufmerksamkeit dessen auf sich ziehen, was hinter Chadwicks Tauchboot her war und die *Swimmer IV* vernichtet hat.«

Er drehte sich abrupt mit dem Stuhl um und blickte wieder in Fahrtrichtung. Er drückte auf einige Knöpfe. Miko drehte ihren Sitz ebenfalls zurück.

Über und vor ihnen leuchtete ein großer, flacher Fernsehschirm auf. »Auf dem Schirm werden Sie sehen, was uns die Fernsehtorpedos an Bildern übermitteln werden«, erklärte Manning.

Sie sahen, wie strahlende Lichtbündel in das dunkle Wasser drangen. Verschiedene Geschöpfe zeigten sich und verschwanden wieder, Fische, einige Seehunde, ein gespenstisch großer Hai. Manning fuhr fort: »Die Sonde befindet sich zwölfhundert Meter voraus, und wir erhalten das Bild über Maser, die auf größte Entfernung eingestellt sind. Schauen Sie sich jetzt das Hologramm an.«

Sie sahen auf die *Sea Trench* im Ozean. »Unsere Sonarsignale werden in die holographische Projektion umgerechnet. So können wir ein genaues Bild der Lebensformen erhalten, die sich in dem Bereich aufhalten, den wir klar erfassen können.« Er wirbelte seinen Sitz wieder herum. »Miss Stewart sitzt neben mir, weil sie Erfahrung mit so großen Tieren wie Pottwalen hat.« Er blickte alle Anwesenden der Reihe nach an. »Irgendwelche Fragen?«

Chadwick meldete sich: »Können wir die Suche über Sonar auch hören? Wenn wir Gesellschaft bekommen, könnte es interessant sein, sie auch zu belauschen.«

»Sehr gut«, meinte Manning. »Wir lassen Sie alles hören, was wir aufnehmen. Sie können den Kopfhörer links an Ihrem Sitz benutzen, und wenn Sie es für nötig halten, schalten wir auf Lautsprecher um.«

»Entschuldigen Sie«, sagte Templeton. »Was ist mit den Hydrojets, Kapitän? Wird ihr Lärm nicht alle Laute schlucken, die die Wale aussenden?«

»Hervorragend, Mr. Templeton. Wie Sie wissen, hat das Boot negativen Auftrieb, und wir können uns also wie gewünscht sinken lassen, wobei die großen Hydrojets auf Leerlauf gehalten werden. Die kleinen Jets erzeugen nur geringfügige Störungen. Sie werden die Wale, auf die wir treffen werden, wohl kaum belästigen.«

Miko fragte ihn erstaunt: »Sie meinen, sie werden kommen?«

»Ich bin auf alles vorbereitet«, erwiderte Manning ausweichend.

»Aber es klingt so, als ob Sie sie aufscheuchen wollten.«

Er nickte. »In gewisser Hinsicht schon«, gab er zu. »Aber nur passiv. Wir wollen nichts provozieren, nur unsere Anwesenheit wirken lassen, und darin liegt ja nichts Aggressives. Wale haben jedoch Dr. Chadwicks Boot angegriffen, und bei Ritter haben sie es ebenfalls versucht. Offensichtlich ist das überhaupt nicht normal. Vielleicht haben wir es mit Walen, mit einem chinesischen U-Boot oder Tieren, die von ihnen gelenkt werden, zu tun, oder auch mit Apparaten, die wie Wale aussehen, es aber nicht sind. Wir wissen das einfach nicht. Wir machen also nichts als das, was zwei Tauchboote vor uns gemacht haben.«

Er schwenkte seinen Sitz wieder in Fahrtrichtung, und Miko folgte seinem Beispiel. Sie warf einen Blick auf ihre Schalttafel. Sie würden bald 1500 Meter erreichen und hatten eine Sinkgeschwindigkeit von 160 Metern pro Minute.

Auf dem Fernsehschirm in der Höhe leuchteten Zahlen auf, die ständig angaben, wie weit die Sonden vom Boot entfernt waren. Eben wurden 1000 Meter angezeigt, und fast im selben Augenblick glitt ein Schatten vorbei, der in der Düsternis nicht zu erkennen war. Dann hörten sie ihn, laut schwirrende Sonartöne. Manning hatte die Lautsprecher eingeschaltet.

Chadwick lauschte angestrengt. »Was es auch sein mag, es ist groß.«

Fregattenkapitän Prentiss sagte gleich darauf: »Tintenfisch, der Echostruktur nach.«

Chadwick sah ihn überrascht und erfreut an. »Sie haben recht. Sehr gut. Das war schnell.«

Einen Moment später wurde der Rhythmus der schwirrenden Töne von einem neuen Geräusch überlagert. Es war wie ein plötzliches Sperrfeuer aus Geräuschen, ein verblüffend lautes Zischen und Spritzen. Es klang auch wie elektrostatische Entladungen oder wie Millionen trockener Zweige, die brechen.

Jessica riß die Augen auf. »Garnelen!« rief sie. Sie kannte das Geräusch. Scheren schnappen verschieden schnell und kräftig zusammen.

Castillo sah sie an, als sei sie übergeschnappt. »Garnelen? Jessie, du bist verrückt. Das sind irgendwelche statischen Entladungen. Das ist –«

»Halt du dich an deine blöden Gesteinsarten«, warf sie ihm hin. »Das sind Garnelen.«

»Wenn das Garnelen sind, dann will ich –«

Chadwick beugte sich vor und berührte sanft seinen Arm. »Sagen Sie nichts, sonst müssen Sie es wirklich tun.«

Er drehte sich ungläubig um. »Sind Sie sicher?«

Chadwick nickte. »Ich fürchte, die junge Dame hat recht, Richard. Das sind ohne jeden Zweifel Garnelen.«

Castillo blickte ihn argwöhnisch an. Er hatte sich über Jessicas Bemerkung geärgert. Dann zeigte Chadwick auf den Bildschirm. Der ferne Lichtstrahl wurde von einer sich bewegenden, lebendigen Schicht im Wasser zurückgeworfen.

Templeton rief: »Du lieber Himmel! Das müssen Millionen sein!«

»Milliarden«, sagte Jessica.

»Und wir haben keine Ahnung, wie dick die Schicht sein könnte. Sie ist wie eine lebende Matte, die sich kilometerweit erstreckt. Und für unser Sonar ist sie wie eine feste Wand.« Er schwieg, als er sah, wie Manning ihn anstarrte.

»Sagen Sie das noch mal«, forderte ihn Manning auf.

Prentiss war verblüfft, wie scharf Mannings Stimme geworden war. »Die Schicht Garnelen, Sir. Sie kann ein paar Zentimeter oder ein paar hundert Meter dick sein. Auf jeden Fall wird sie das Sonar schlucken oder es abprallen lassen.«

Bevor Prentiss noch zu Ende gesprochen hatte, fluchte Manning leise los, fuhr wieder herum und ließ die Hände über Hebel und Knöpfe tanzen. Man spürte eine leichte Erschütterung, als Torpedos aus der *Sea Trench* fuhren und auf die leuchtende, atmende Wolke Garnelen zurasten. Im Lautsprecher mischten sich die Klänge der Tiere und das Surren der Torpedos.

Manning sprach eindringlich in sein Lippenmikrophon. »Kapitän an Brücke. Zwei Sonartorpedos hinaus.«

Auf der Brücke saß Eddie Holvak im Kommandositz, und Bill Ryan stand hinter ihm, als Mannings Stimme zu ihnen drang.

Dann fuhr Manning fort: »Sofort auf Alarmbereitschaft gehen!«

Seine Worte waren kaum gesprochen, da begannen rote Lampen zu blinken und Alarmglocken zu läuten.

Wieder war Manning zu hören. »Waffen in Bereitschaft. Geschossen wird nur auf meinen Befehl.«

MacKinney warf Ryan einen Blick zu. »Was ist denn los?«

»Wenn der Alte soweit ist«, sagte Ryan mit schwachem Lächeln, »wird er Sie einweihen. Ich wette, hinter der Schicht aus Garnelen wartet etwas auf uns. Die Sonartorpedos werden uns Gewißheit verschaffen.«

Die Bildschirme im ganzen Schiff zeigten, wie die Lichtstrahlen der weit entfernten Fernsehtorpedos in die Masse der Garnelen schienen. Plötzlich flitzten zwei schlanke Körper durch den Lichtschein und verschwanden in der lebenden Schicht. Und gleich danach drang ein neues Geräusch aus den Lautsprechern.

Die unverwechselbaren Sonartöne großer Pottwale.

Ohne zu überlegen, packte Miko Mannings Arm. »Sie – sie warnen uns vor dem Näherkommen.«

Hinter ihnen rief Jessica: »Kapitän Manning, sie hat recht. Das ist ihr Ruf bei Gefahr. Alle Wale in der Gegend werden ihn hören und so rasch herbeieilen, wie sie können –«

Sie brach ab.

Templeton sagte kühl: »Sie werden es wieder tun. Sie werden kommen und uns angreifen.«

Chadwick neben ihm nickte finster.

Sie hörten MacKinney von der Brücke. »Feuerleitung an Kapitän. Sie kommen von allen Seiten ohne Zweifel auf uns zu. Der nächste ist zweihundert Meter entfernt.«

»Brücke, Kurs halten, Tauchwinkel und Sinkgeschwindigkeit nicht verändern. Mr. Holvak, alle Scheinwerfer an.«

Miko rief mit entsetztem Gesicht: »Wir können doch fliehen! Befehlen Sie bitte volle Kraft voraus!«

»Kapitän von Feuerleitstelle.«

»Reden Sie, Mr. MacKinney.«

»Sir, ich betrachte uns als angegriffen. Zusammenstoß steht in Kürze bevor. Ich glaube, wir sollten –«

»Halten Sie sich weiter bereit, Mr. MacKinney.«

Miko zwang sich, ruhig zu bleiben. »Kapitän, bitte –«

11

Der Bug glitt schräg durch die dicke Masse Garnelen in die Tiefe hinunter, als wäre die *Sea Trench* ein riesiger Ballon, der durch Nebel tauchte. Die *Sea Trench* erreichte wieder offenes Wasser. Die Scheinwerfer des U-Bootes fielen grell auf Lebewesen, die ihr eigenes Licht erzeugen konnten, doch in der Tiefe unter ihnen verschwanden die Lichtstrahlen, als hätte die Finsternis sie verschluckt.

Hier waren die großen Tiere, die optisch sehen, wenn Licht vorhanden ist, und wenn es keines gibt, sehen sie mit Hilfe des Schalls, mit Hilfe des biologischen Sonars. Hier warteten die kräftigen und aggressiven Pottwale, die Geschöpfe, die auf diesem Planeten die größten Zähne haben. Man konnte unmöglich sagen, wie viele Wale da waren, aber sie befanden sich alle hinter der Schicht aus Garnelen, antworteten dem Ruf, gehorchten einem Befehl, über dessen Art die Menschen der *Sea Trench* nur Mutmaßungen anstellen konnten. Die großen Säugetiere peitschten das Wasser mit ihren riesigen Flossen, und das Donnern wurde immer lauter.

Schlanke Torpedos schossen aus dem U-Boot und trugen blendende Leuchtbomben mit sich, die stumm in der Ferne explodierten. Fernsehtorpedos folgten ihnen in geringem Abstand und schickten über Draht klare Bilder zurück. Und jetzt war der letzte Zweifel beseitigt, die letzte Frage beantwortet.

Die Pottwale eilten mit blitzenden Augen und leicht geöffnetem, zahnbesetztem Unterkiefer näher. Ihre hohen Sonarlaute wurden durchdringender.

Jerry Manning blickte von einem Bildschirm zum anderen, sah von allen Seiten seines Bootes hinaus. Bis zu diesem Augenblick war die Sicht seiner Zuschauer auf die winzigen Fenster der Fernseh- und Sonarsysteme beschränkt gewesen. Jetzt drückte er einen Knopf nieder, und die Menschen im Beobachtungszentrum sahen verblüfft, wie der gesamte Bug der *Sea Trench* durchsichtig wurde.

Genau in diesem Augenblick warf sich der erste Pottwal mit aller Kraft gegen den Bug des sinkenden U-Bootes und ragte riesig vor den winzigen Menschen auf. Der Wal krachte gegen den durchsichtigen Kunststoff, und durch das dichte Wasser, durch die Haut des Bootes hindurch konnte man den gräßlichen Wutschrei hören, als der Unterkiefer zur Seite gedrückt wurde, Knochen und Zähne brachen und Blut hervorquoll, das über den gerundeten Bug glitt. Der zerschmetterte Körper zuckte vor Schmerzen, wurde weggewirbelt und verschwand.

Er war nur der erste gewesen, und jetzt kamen immer mehr Wale, warfen sich selbstmörderisch gegen das Boot, und ihre Sonarschreie schwollen zu einem Inferno des Wahnsinns an, während sie gegen das Boot prallten und es erbeben ließen. Dann hörte man andere Geräusche. Jessica, die wie erstickt schluchzte. Chadwick starrte schweigend wie hypnotisiert auf den Anblick, und Miko an der Seite von Manning preßte die Fingernägel in die Handflächen, bis Blut kam.

Dann Mannings Stimme: »Kapitän an Brücke. Fünf Minuten lang volle Kraft voraus, dann wieder treiben lassen.«

Er wartete, bis Holvak auf der Brücke den Befehl bestätigte.

Sie spürten den Schub, hörten, wie die mächtigen Hydrojets das Boot rascher in die Tiefe drückten. Manning blieb eine weitere Minute stumm sitzen, wollte abwarten, ob es noch einmal zu Zusammenstößen, zu Krachen und Schreien kommen würde. Keine Wale mehr. Er nickte, nahm den Hörer vom Ohr und legte ihn langsam auf die Lehne. Er blickte seufzend auf. Er drückte einen Knopf, und der gläserne Bug wurde wieder undurchsichtig.

Die Gruppe hinter ihm erholte sich von dem Schrecken. Castillo hielt die leise schluchzende Jessica im Arm. Templeton schwieg bedrückt, und Chadwick war in Gedanken versunken. Prentiss schien immer noch nicht glauben zu wollen, was er gesehen hatte. Miko Stewart rang nach Worten und sah Manning mit haßerfüllten Augen an.

»Sie Dreckskerl!«

Er nahm es gleichmütig hin. Mehr konnte sie nicht erkennen. Und seine beherrschte Gelassenheit machte sie nur noch zorniger.

»Sie müssen einen guten Grund haben, um so etwas zu sagen«, meinte er.

»Grund? Es bestand kein Grund, diese Tiere – zu töten!«

»Zugegeben.«

Sie starrte ihn mit offenem Mund an.

»Deshalb«, sagte er langsam, »haben wir uns auch Mühe gegeben, keines zu töten.«

Sie konnte nicht fassen, was sie hörte, und begann zu zittern. »Haben Sie denn nicht gesehen, was Sie getan haben? Sie sahen sie sterben, hörten sie sterben!«

Er saß bewegungslos da. »Wir sind passiv geblieben, Miss Stewart, und ich wäre Ihnen dankbar, wenn Ihnen das wieder einfallen würde. Passiv. Wir hatten gleichmäßige Sinkgeschwindigkeit, hielten unseren Kurs. Nichts im Meer war durch uns bedroht. Wir wurden von den Walen angegriffen.«

»Von Tieren, die instinktmäßig handeln, wollen Sie doch sagen.«

»Ich verstehe Ihren Gefühlsausbruch, Miss Stewart, aber nicht Ihre Dummheit. Jedes Kind weiß, daß ein Gruppenangriff durch Pottwale, die wir nicht provoziert hatten, in dieser Tiefe irgendwie auf Kommando erfolgt sein muß, wenn ich auch nicht weiß, wie. Es steht nur außer Zweifel, daß Instinkt nichts damit zu tun hatte.«

Sie wollte etwas antworten, fand aber keine Worte. Er ließ ihr keine Zeit, den verwirrten Faden ihrer Gedanken aufzunehmen.

»Ich weiß nicht, wie es zu allem kam oder warum es passierte, aber wir wurden von gefährlichen Geschöpfen angegriffen, und bei dem Angriff spielten gemeinsames Vorgehen und intelligente Leitung eine Rolle. Was geschehen ist, übersteigt alles, was wir bisher über diese Tiere wußten. Nur der Schwertwal greift auf diese Weise an, begeht jedoch nie absichtlich Selbstmord, und unterhalb 1200 Metern greifen sie in Gruppen nicht an.«

Sie versuchte verzweifelt, festen Boden unter die Füße zu bekommen. »Sie wußten, daß sie dem Unterseeboot nichts anhaben konnten. Verdammt noch mal, Sie hätten sich von ihnen entfernen und das Gemetzel verhindern können.«

»Und wir hätten dabei nichts gelernt.« Auf seinem Gesicht zeigte sich jetzt offene Verachtung. »Haben Sie eigentlich schon bemerkt, daß dieses Boot die Aufgabe hat, bestimmten geheimnisvollen Fragen nachzugehen? Herauszubekommen, warum wir das dritte Boot sind, das angegriffen wird? Warum vier Männer ihr Leben lassen mußten und ein Boot untergegangen ist? Was, zum Teufel, da unten im Meer vor sich geht?« Zum erstenmal zeigte er offen, daß er verärgert war.

Er war fertig und hatte sich halb aus seinem Sitz erhoben, als sie ihn aufhielt. »Diese Tiere sind intelligent, Kapitän Manning. Wir, Sie haben angeblich die größere Intelligenz, was Ihnen irgendwie die Verantwortung gibt, sie zu schützen. Seit so langer Zeit schon schlachten wir diese Tiere ab –«

Der Zorn brach jetzt ungehemmt aus ihm heraus, und sein Gesichtsausdruck ließ sie verstummen. »Sie werden jetzt und in alle Zukunft eins im Kopf behalten, und zwar, daß ich nichts und niemanden hingemetzelt habe. Ihre Grundsätze kommen mir falsch vor. Ich kümmere mich zuallererst um das intelligente Leben, das auf der Oberfläche dieses Planeten lebt. Ich habe keine Lust, mich selbst oder andere Menschen zu opfern, nur um irgendein Tier zu retten, sei es ein Wal oder ein Hühnchen.«

Er drehte sich auf dem Absatz um und verließ den Raum. Sie starrte den Fleck an, auf dem er eben noch gestanden war. Dann hob sie den Blick und sah Zahlen auf dem Bildschirm. Automatisch registrierte sie, daß sie zweitausendsechshundert Meter tief waren und eine Sinkgeschwindigkeit von zweihundert Metern pro Minute hatten. Sie nahm kaum wahr, daß Prentiss sie wegführte.

12

Miko und Bill Ryan saßen allein in einem der seitlichen Beobachtungsräume des Bootes. Die Wand vor ihnen war durchsichtig, und alle Lichter waren ausgeschaltet. Sie saßen schweigend
da, und Miko wurde von quälenden Gedanken heimgesucht. Der
Mann neben ihr, der Verständnis für ihre Schwierigkeiten hatte,
gab ihr etwas Kraft. Sie blickten in völlige Finsternis hinaus, in
der manchmal bizarr geformte Wesen aufleuchteten. Ryan und
Miko sahen erstaunt ein riesiges, glimmendes Wesen mit messerscharfen Zähnen im Maul vorübertreiben.

Ryan drehte an einem Regler und schaltete ganz schwaches
Licht ein. Er beugte sich vor und sah Miko in die Augen. »Ich
glaube, es ist Zeit, daß Sie sich aussprechen.«

»Sie verstehen es nicht«, sagte sie kopfschüttelnd. »Wenn Sie
ihn nur gehört hätten –«

»Ich kenne ihn. Ich muß ihn gar nicht gehört haben«, sagte
Ryan leise. »Es läuft doch nur darauf hinaus, daß Sie in Ihren Gefühlen verletzt wurden. Sie haben doch schon mehr als so etwas
überlebt, Miko.«

Seine Worte brachten anscheinend Klarheit in ihre Gedanken.
»Die Gefühle sind mir gleich, Bill. Darum ging es gar nicht. Ich
sehe immer noch vor meinen Augen, wie sich die Tiere gegen das
Boot warfen und dabei zerschellten –«

Er unterbrach sie mit einer Handbewegung. »Einen Augenblick. Ich möchte, daß Sie sich etwas fragen und mir dann Ihre
Antwort laut wiederholen. Warum waren diese Tiere so darauf
versessen, uns zu vernichten?«

Seine Frage überraschte sie. »Aber das konnten sie doch gar
nicht.«

»Darum geht es nicht«, sagte er verzweifelt. »Sie haben es versucht. Und wenn ihnen gelungen wäre, was sie vorhatten, läge das
Wrack mit unseren Leichen jetzt auf dem Meeresgrund. *Darum*
geht es! Sie versuchten, uns zu vernichten. Wieso? Welches Motiv
hatten sie? Wer hat sie gelenkt?«

»Ich – ich weiß es nicht, Bill.«

Ryan lehnte sich in seinem Sitz zurück. Er stieß einen langen

Seufzer aus und beruhigte sich. »*Das* hat Jerry gemeint. Sie sind in die Luft gegangen, ohne etwas Festes in der Hand zu haben.«

»Ach, das weiß ich doch, Bill. Aber ich war innerlich so zerrissen, ich – meine Güte, da muß es ein besseres Vorgehen geben.«

»Wirklich? Legen Sie mir es bitte nicht als Hohn aus. Wenn Sie von einem besseren Vorgehen wissen, teilen Sie es mir mit, und ich verspreche Ihnen, wir werden es ausprobieren. Und dann –«

An der Tür wurde geklopft. Ryan stand auf und machte die Luke auf.

Vor ihm stand Matt Matthews. »Entschuldigen Sie«, sagte er, »kann ich Dr. Stewart sprechen?«

Miko erhob sich. »Natürlich. Was gibt es?«

»Wenn ich recht verstehe, kennen Sie sich besonders gut mit den Lebensformen des Meeres aus?«

Die leicht rasselnde Stimme und das entstellte Gesicht hatten sie ein wenig überrascht. »Ja, schon. Wieso?«

»Dann steht Ihnen etwas ganz Besonderes bevor. Im Augenblick sind wir etwas über siebentausend Meter tief. Und ich glaube, wir haben gefunden, was auch Ritter und seine Mannschaft gesehen haben. Was zu ihrem Untergang führte, wie wir uns wohl erinnern sollten.«

»Matt«, fragte Ryan, »wovon sprechen Sie überhaupt?«

Das Gesicht verzog sich langsam zu einem Lächeln. »In dieser Tiefe müßte der Meeresboden weniger als tausenddreihundert Meter unter uns sein.« Er lachte leise, als würde er selbst noch die Hölle witzig finden. »Würden Sie mir glauben, daß er nicht da ist?«

»Ich verstehe nicht«, antwortete Miko.

»Es gibt keinen Meeresgrund. Er ist einfach nicht da, und das ist bestimmt unmöglich. Unser Sonarmann rauft sich die Haare. Übrigens kommen Sie an der Stelle ins Spiel. Irgendeine Lebensform. Sie ist ziemlich groß, in ziemlicher Menge vorhanden, bewegt sich anscheinend auf eine ganz bestimmte Art, und ich würde wetten, daß sie uns nicht wohlgesonnen ist. Ich dachte, Sie könnten auch gleich darum ersuchen, man möge sie schonen.«

Ryan sagte ärgerlich: »Matt, verdammt noch mal –«

Weiter kam er nicht. Ein Warnlicht leuchtete auf, und sie hörten Holvaks Stimme über Lautsprecher.

»Hier spricht die Brücke. Alle Mann auf ihre Stationen. Kapitän bitte bei der Brücke melden.«

Sie versammelten sich wieder im vorderen Beobachtungsraum. Sie setzten sich wie beim ersten Treffen, und Miko saß abermals neben Manning. Sie blickte ihn vorsichtig an, doch er nickte ihr zu, als hätten sie nie Streit gehabt. Sie schwenkte ihren Sitz herum, um sich die holographische Projektion anzusehen. Miko warf einen Blick auf die Tiefenanzeige. Sie stand auf 8600 Meter. Mit dem Hologramm stimmte etwas nicht. Die ›lebende, dreidimensionale Karte‹ zeigte keinen Meeresgrund.

Manning sagte: »Das Ganze ist unmöglich. Und doch können wir es hier mit eigenen Augen sehen. Wir wissen, daß der Aleütengraben nur 8600 Meter tief ist. Diese Tiefe haben wir jetzt erreicht, und kein Boden.« Er zuckte die Schultern und sprach in sein Mikrophon: »Brücke. Neptun soll uns den Meeresboden einblenden, wie er sich in ihm gespeichert findet.«

Im Hologramm zeichnete sich eine Fläche ab. Der leuchtende Punkt der *Sea Trench* befand sich schon unter ihr.

»Ein sehr interessanter Widerspruch«, sagte Chadwick langsam.

Templeton meldete sich zu Wort. »Kapitän, wirft der Boden überhaupt kein Sonarsignal zurück?«

Manning schüttelte den Kopf. »Das Sonar wird von irgend etwas verschluckt. Wir schicken Signale hinab, aber sie kehren nicht zurück. Wieso, wissen wir nicht.« Manning wandte sich an Castillo. »Richard, Geologie ist Ihre Spezialität. Können Sie sich etwas denken?«

Der junge Mann starrte erst einmal in das Hologramm, bevor er antwortete: »Das kann nicht an einer Inversionsschicht liegen?«

»Nein, hier unten nicht.«

»Nun, Sir, vielleicht ist da irgendeine Schicht von Lebewesen, wie die der Garnelen, die wir durchquert haben. Aber ich glaube es eigentlich nicht. Es könnte auch etwas ganz Verrücktes sein.«

»Mir kommt nichts mehr verrückt vor. Lassen Sie hören«,

sagte Manning.

»Nun, nach dem, was ich von den Bändern, die Ritter hinaufschickte, weiß, und nach dem, was ich hier sehe, glaube ich, daß wir die Kuppel finden werden, von der Ritter gesprochen hat.«

Jessica fragte ihn: »Was hat das damit zu tun, daß wir kein Sonarecho bekommen?«

»Das kommt davon«, erwiderte Castillo vorsichtig, »daß wir ein Suchsonar eingeschaltet haben, das den Boden vermessen soll. Lebewesen werden von ihm nicht erfaßt, und –«

»Sie meinen die Kuppel?« unterbrach ihn Manning.

Castillo sagte hartnäckig: »Ja, genau.«

»Richard, das kann man doch kaum glauben.« Er zuckte wieder die Schultern. »Aber das ist mit vielen Dingen so.« Er wandte sich an Miko: »Was halten Sie von den Geschöpfen, oder was es auch sein mag, auf die wir hier stoßen?«

»Ich weiß nicht. Seesterne, Flundern, Garnelen und andere Tiere leben in der tiefsten Tiefe des Marianengrabens, aber keines läßt sich mit dem Ergebnis des Sonars in Verbindung bringen.«

Manning nickte langsam. »Entspannen wir uns. Wir warten ab. Wir steigen langsam weiter hinab.«

Sie waren 10700 Meter tief und sanken mit einer Geschwindigkeit von 140 Metern pro Minute, als MacKinneys Stimme über Lautsprecher kam: »Kapitän, Sonarkontakt mit diesen Dingern, Sir. Noch mehr jetzt, und sie kommen auf uns zu.«

Templeton meinte leise: »Das gibt's doch nicht. Wir sind fast 11000 Meter tief, und noch immer kommen Tiere von unten zu uns herauf?«

Manning warf ihm einen Blick zu. »Neptun erzählt keine Märchen, Mr. Templeton.« In sein Mikrophon sagte er: »Mac, geben Sie die Entfernung durch.«

»Ungefähr 1000 Meter, Sir.«

»Füttern Sie es in das Hologramm ein!« befahl Manning.

In der Projektion erschienen rechts und links vom U-Boot schlanke Formen. Sie bewegten sich von allen Seiten auf das Boot zu, hielten aber einen gewissen Abstand.

Manning traf plötzlich eine Entscheidung. »Brücke, Drittelkraft voraus!«

Holvak bestätigte den Befehl.

»Brücke, auf Alarmbereitschaft gehen! MacKinney, alles entsichern!«

MacKinney bestätigte ebenfalls.

Manning wandte sich an die anderen im Beobachtungszentrum. »Schnallen Sie sich bitte fest an.« Man machte sich mit den Gurten zu schaffen, und Miko fragte: »Können Sie uns sagen, was Sie erwarten?«

Er nickte und wandte sich dann an Jessica: »Jessie, ich möchte, daß Sie mir einen Gefallen tun. Und zwar, daß Sie mir Ihre Gefühle mitteilen. Nicht was Sie denken, sondern was Sie fühlen.«

Alle sahen das Mädchen an. Sie konzentrierte sich, und auf ihrem Gesicht spiegelten sich unbestimmte Gefühle wider. Dann schloß sie die Augen, entspannte sich und öffnete sich einer Schwingung, die nur sie wahrnehmen konnte.

Ihre Stimme war kaum mehr als ein Flüstern. »Ich spüre, ich spüre –« Plötzlich riß sie die Augen erschrocken auf. »Gefahr«, murmelte sie. »Ich kenne mich nicht aus, aber das ist Gefahr.«

Manning sah ihr mit finsterem Gesicht zu und sagte in sein Mikrophon: »Mr. Matthews, den elektrischen Schutzschild in Bereitschaft bringen.«

»Kapitän, damit haben wir schon gerechnet. Es ist alles soweit.«

Manning nickte. »Sehr schön.« Er blickte auf den Tiefenmesser. Dieser stand auf 11 200 Meter. Auf dem Boot lastete jetzt ein gewaltiger Druck. Manning traf wieder eine Entscheidung und sprach in das Mikrophon: »Kapitän an alle. Positionslichter löschen. Alle beleuchteten Räume nach außen abdunkeln. Sofort ausführen.«

Im Beobachtungsraum verloschen die Lampen, bis nur noch der schwache Schein der holographischen Projektion zu sehen war. Manning drehte an einem Knopf seiner Schalttafeln, und man befand sich in völliger Dunkelheit. Man hörte ein leichtes Brummen. Manning sagte: »Der Bug wird jetzt durchsichtig.«

Eine Weile konnten sie nichts als die Nachbilder ihrer Netzhäute sehen. Sonst war überhaupt nichts zu sehen. Niemand sagte etwas. Man fühlte ein leichtes Schwindelgefühl aufsteigen, weil sich die Augen an nichts festhalten konnten, und instinktiv umklammerten sie ihre Lehnen.

Irgendwo in der Ferne tauchte ein mattes Blitzen auf. Dann zeigte sich mehr Licht, und als sich ihre Augen an die Finsternis gewöhnt hatten, wurde es zu einem schwachen Streifen. Andere Lichter wurden jetzt sichtbar, aber man konnte nicht sagen, wie groß oder wie weit entfernt sie waren. Sie warteten weiter, und dann trieben rätselhafte Lichterscheinungen näher, die sich langsam schlängelnd bewegten.

Manning sagte: »Sonar, die Entfernung angeben.«

»Weniger als zweihundert Meter, Sir. Verringert sich ständig.«

Manning sagte laut: »Das da ist hinter Ritter und seinen Leuten hergewesen.« Dann an die Brücke: »Mr. MacKinney, halten Sie sich bereit.«

»Ja, Sir.«

Jetzt gab es keine Zweifel mehr. Lange, leuchtende Formen zeigten sich, Aale, die mindestens dreißig Meter lang waren, vielleicht noch länger. Man konnte es schwer sagen, obwohl das Sonar jetzt genauere Werte brachte. Die Tiere näherten sich langsam, ließen im eigenen Licht große Köpfe, riesige Zähne, mächtige Leiber erkennen.

Es war, als habe man einen anderen Planeten erreicht.

»Kapitän an Brücke. Mr. Williams, lassen Sie eine Meldekugel mit allen Informationen, die wir bis jetzt erhalten haben, in die Höhe. Sofort losschicken. Lassen Sie alle sechzig Sekunden eine weitere mit allen Bandaufzeichnungen hinauf. Bereiten Sie Notverbindung über Satelliten vor.«

»Aye, Sir.«

Die Menschen im Beobachtungsraum erwachten langsam aus ihrer Erstarrung und versuchten, das Unwirkliche zu fassen. »Da gibt's nur noch ein Wort«, sagte Chadwick. »Unglaublich.«

»Ich habe mir nie träumen lassen, daß so etwas möglich ist«, meinte Miko leise, als könne sie sich noch immer nicht mit der Wirklichkeit abfinden.

»Schauen Sie sich das an!« rief Templeton. »Die müssen eine Stromstärke erzeugen können, die – ich kann es mir gar nicht vorstellen!«

Mannings Stimme gab den anderen das Gefühl der Stärke. Er hatte keine Zweifel mehr. »Sie brauchen sich gar nichts vorzustellen, Mr. Templeton. Sie erzeugen genug Ampere, um ein kleines Boot damit zerstören zu können. Das da draußen hat Ritter und seine Leute getötet.«

Jessica sagte mit zitternder Stimme: »Sie sind gefährlich. Sie – sie wollen uns etwas antun.«

Manning setzte sich kerzengerade auf. »Na schön«, sagte er laut. »Wollen wir doch einmal sehen, wie ihnen eine Dosis richtiges Licht hier unten gefällt. Mr. MacKinney, Leuchtbomben in alle Richtungen.«

Sie spürten, wie die Torpedos das Boot verließen. Sekunden später brach in ihrer Umgebung die Hölle los. Die Leuchtbomben explodierten mitten unter den Riesenaalen, die sich der *Sea Trench* näherten. Die Aale wurden verwirrt und schlugen wie wild um sich.

Manning rief: »MacKinney, die Lärmer hinaus!«

Wieder flitzten kleine Torpedos ins Wasser und fuhren mit Kreisch- und Heultönen, die man in diesen Tiefen noch nie gehört hatte, auf die Aale zu. Die Tiere schienen vor Schmerz fast wahnsinnig zu werden.

Jedoch nicht alle. Jessica stieß einen spitzen Schreckensschrei aus, als sich einer der Aale gegen die Rundung des Buges warf und ein anderes Licht, nämlich das einer elektrischen Entladung, aufblitzte.

Tief im Boot saß Matt Matthews vor seinen Schalttafeln und grinste finster. »Da seid ihr an den Falschen geraten, Jungs«, murmelte er, und seine Hand schob einen Hebel ganz nach vorn. Das Brummen einer Maschine drang durch das ganze Boot.

Im Bug sahen sie, daß der Aal heftig vom Boot weggeschleudert wurde, daß nackte Elektrizität seinen Körper zucken ließ und aufriß. Der Aal wurde schlaff, und seine Farben verblaßten.

»Es funktioniert«, rief Manning triumphierend. »Sie können genug Elektrizität erzeugen, um damit zu töten, aber nur mit

Hilfe besonderer Organe. Einem richtigen Stromstoß können ihre Körper nichts entgegensetzen.«

Der elektrische Schild, den Matthews eingeschaltet hatte, tötete jedes Geschöpf, das die *Sea Trench* berührte. Einige weitere Aale prallten gegen den Bug, man hörte die elektrischen Entladungen krachen, und die Tiere wurden tot und zerfetzt beiseitegeschleudert.

Manning schaltete Licht und Hologramm im Beobachtungsraum wieder ein. Zur Brücke gab er durch: »Mr. Williams, eine Meldekugel hinauf. Teilen Sie mit, daß das Boot seine Tauchfahrt fortsetzt.« Er warf einen Blick auf die Anzeigegeräte. »Wir haben eben 12 000 Meter erreicht und fahren jetzt in das hinein, was ich offiziell die Ritter-Tiefe taufe.«

Sie setzten ihre Tauchfahrt fort und stießen dabei auf keine weiteren Lebewesen. Weit vor dem U-Boot überprüften zwei Sonden den Kurs, deren helle Scheinwerfer die Finsternis verscheuchten. Doch die Bilder, die die Fernsehkameras übertrugen, zeigten nichts als Wasser. Dann hielten alle den Atem an. Auf den Bildschirmen war ein schwaches grünes Leuchten aufgetaucht. Die Leuchtziffern der Anzeigegeräte meldeten eine Tiefe von 12 800 Metern.

Chadwick fand als erster Worte. »Ob ich jemals wieder das Wort unglaublich verwenden werde –« Er blickte Manning an. »Aber was soll man sonst sagen? Wir sind schon zweihundert Meter tiefer als der Marianengraben und sinken noch immer.«

Miko Stewart war wie die anderen gezwungen, liebgewordene Überzeugungen fallenzulassen. »Was wir über die Tiefen gedacht haben, ist hinfällig geworden.«

Ein Glockenzeichen unterbrach sie. Das glimmende Hologramm erforderte ihre Aufmerksamkeit. Zum erstenmal ließ das Computerergebnis den Schluß zu, daß der Abstieg nicht endlos weitergehen würde.

Über Lautsprecher hörte man Williams sagen: »Kapitän, wir haben Kontakt zum Boden.«

Manning reagierte so gelassen, daß man hätte meinen können, er sitze zu Hause im Wohnzimmer. »Das sehe ich«, sagte er zu

Williams. »Haben Sie die Entfernung?«

»Bei diesem Druck möchte ich dem Echo nicht trauen, aber wir glauben, es sind noch 1800 Meter.«

»Fahrt verringern«, befahl Manning der Brücke.

Einige Minuten später war das grüne Leuchten nicht mehr zu übersehen. Die Fernsehtorpedos zeigten eine merkwürdige, mattgrüne Oberfläche. Manning schenkte dem plötzlichen Gemurmel und Gerede keine Beachtung und konzentrierte sich auf das Notwendige.

Er gab Prentiss ein Handzeichen. »Übernehmen Sie die Leitung der Torpedos direkt von hier. Lassen Sie sie steuerbord und backbord in tausend Metern Abstand parallel laufen und einen voraus.«

»Ja, Sir.«

»Brücke. Das Hologramm so im Maßstab ändern, daß wir eine genaue Computerhochrechnung dessen bekommen, was sich unter uns befindet. MacKinney, wenn sich etwas auch nur in unsere Nähe wagen sollte, dann geben Sie ihm eine volle Breitseite.«

»Ich bin soweit, Sir.«

Die *Sea Trench* bewegte sich sachte weiter, hielt sich in der gleichen Tiefe und schwebte über eine erstaunliche Fläche. Man konnte nicht sagen, wie der Meeresgrund aussah, denn was unter ihnen lag, war sicher nicht der Boden. Ein gemustertes Grün, weich, aber nicht eben, eine unglaubliche Substanz, die sich kilometerweit erstreckte. Sie sah aus wie lockerer, grüner Pelz, wie ein flauschiger Teppich, dessen Fäden von Wasserströmungen bewegt wurden.

Manning bewegte das U-Boot sehr vorsichtig weiter hinab, bis der runde Bauch des Fahrzeugs den grünen Stoff berührte. Die Oberfläche gab ein wenig nach. Sie schien der Masse des Bootes keinen Widerstand entgegenzusetzen.

»Das lebt«, sagte Chadwick verwundert.

»Wie Richard es uns vorausgesagt hat«, erinnerte ihn Manning.

»Es sind Algen«, fügte Templeton hinzu, »es sieht wie Algen aus.« Im direkten Licht ihrer starken Bordscheinwerfer konnten sie die schwankende Oberfläche klar erkennen.

»Ich bin unfähig, mir vorzustellen, wie sie leben können«, sagte Miko. »Wir sind über zwölf Kilometer tief. Kein Licht und also auch keine Photosynthese. Es kann sich nicht um pflanzliches Leben handeln, auf jeden Fall nicht um das, was wir kennen.«

Manning konnte ein kurzes Lachen nicht zurückhalten. »Sie alle lassen das Wörtchen unmöglich lieber fallen. Es kann es nicht geben, und hier haben wir es. Es kann nicht wachsen, und es tut es. Es kann nicht leben, doch es lebt.« Er lachte jetzt nicht mehr. »Und mir gefällt das alles überhaupt nicht.«

Er schaltete das Mikrophon ein. »Brücke. Haben wir ein Meßergebnis, wie dick das Zeug unter uns ist?«

Ryan antwortete sofort: »Sir, das Sonar wird einfach geschluckt. Wir können nichts Genaues sagen.«

Manning nickte langsam. »Wie steht's mit Neptun? Oder beißt sich der Computer auch die Fingernägel?«

Er mußte lächeln, als er Ryan lachen hörte. »Die Sensoren zeigen etwas an, Kapitän. Wir haben ein paar Sonden in das Zeug gesteckt. Neptun meint, es seien Algen, obwohl Zusammensetzung und chemischer Aufbau zu nichts passen, was er in seinem Speicher hat.«

»Darauf hätte ich meinen Kopf verwettet«, sagte Manning.

»Kapitän, hier spricht Holvak.«

»Was gibt's?«

»Sir, ich schlage vor, wir lösen uns von dem Zeug. Nicht einmal mit den Masern können wir es durchdringen. Wenn das, was ich ablese, irgendwie stimmt, dann ist es mindestens zweihundert Meter dick, und wenn der Computer recht hat, befinden sich in ihm eine Art feste Stützen. Die ersten Ergebnisse zeigen, daß sie einen Abstand von etwa hundert Metern haben.«

Manning blickte auf die grüne Masse, die sich unter dem durchsichtigen Bug leicht hin und her bewegte, und sah dann wieder auf das Hologramm. Die verschwommenen, verzerrten Linien gefielen ihm nicht. »Brücke. Das Boot hundert Meter höher nehmen und langsam schweben lassen.«

Holvak bestätigte den Befehl. Bald hatten sie etwas Abstand

zur grünen Masse und blickten immer noch verwirrt auf sie herab.

Miko warf Manning einen Blick zu. »Was geschieht jetzt?«

Er nickte ihr zu, ohne sofort zu antworten. Sie wußte, die nächsten Worte würden an sie wie auch an die Brücke gerichtet sein. »Mr. Ryan, *Suchboot I* zum sofortigen Auslaufen fertig machen.«

Er wandte sich Miko zu. »Das U-Boot lassen wir nicht eindringen. Das ist zu riskant. Erstens sind wir zu groß, und dann können wir in dem Zeug nichts sehen und werden vielleicht manövrierunfähig und kommen nicht mehr heraus. Wir können aber auch nicht hier herumsitzen und Däumchen drehen. Ich nehme also eines der kleinen starken U-Boote und gehe hinaus.«

»Sie wollen hinunter? In diese Algen hinein?« Sie überlegte einen Augenblick. »Ich verstehe. Etwas anderes können wir nicht tun. Ich gehe mit, Kapitän Manning.«

»Übereilen Sie nichts«, warnte er sie. »Sie brauchen sich nicht unbekannten Gefahren auszusetzen. Verstehen Sie mich nicht falsch. Wir wissen überhaupt nicht, was sich unter uns befindet. Wir sind angegriffen worden, nun, Sie haben es ja selbst erlebt. Irgend etwas oder irgend jemand gibt sich große Mühe, uns von dem, was da unten ist, fernzuhalten. Richard hat recht. Die Kuppel ist lebendig, und unter ihr muß etwas sein, das unsere Fragen beantworten kann. Doch was sich da unten befindet, kann auch unser Tod sein.«

Er sah alle der Reihe nach an. »Sie verstehen doch, was ich sage? In diesem Boot sind Sie sicher. Da unten –« Er zuckte die Schultern.

Miko stand auf. »Ich hoffe, unsere Differenzen haben nichts zu bedeuten, wenn Sie entscheiden, wer mitgeht.«

Er sah ihr in die Augen. »Sie sind bedeutungslos.«

»Dann verlangt mein Aufgabenbereich, daß ich mit Ihnen hinuntergehe.«

»Es ist mir gleich, wer mitkommt«, antwortete er. »Außer mir haben noch drei Personen Platz. Machen Sie es untereinander aus.«

»Zwei haben noch Platz«, sagte sie zu den anderen.

»Es bleibt kaum eine Wahl«, meinte Chadwick rasch. »Ich muß selbstverständlich mit. Die Frage ist nur, wer den letzten Platz einnehmen wird.«

Die anderen meldeten sich sofort und wollten mitgenommen werden. Chadwick gebot Schweigen. »Wir brauchen gar nicht zu diskutieren«, sagte er. »Kapitän Manning hat gesagt, daß wir uns selbst entscheiden sollen. Ich bin der leitende Wissenschaftler, und ich fahre mit. Dr. Stewart fährt mit.« Er legte Castillo eine Hand auf die Schulter. »Dieser junge Mann hat ein gutes Auge bewiesen, und trotz seiner jungen Jahre ist er der Experte für Ozeanographie unter uns. Wenn jemand, dann sollte er –«

Manning ging schon aus dem Raum. Sie eilten ihm rasch nach.

13

Suchboot I wirkte von außen lang und schlank, war im Innern jedoch mit Instrumenten und Anlagen vollgestopft, so daß der Besatzung nur der notwendigste Platz blieb. Manning saß links vorn vor den Bedienungseinrichtungen, Miko saß zu seiner Rechten, hinter ihm hatte Chadwick seinen Platz, und neben diesem Castillo. Sie schnallten sich sorgfältig an und legten Mikrophone und Kopfhörer an, damit sie sich ohne Schwierigkeiten unterhalten und auch von der *Sea Trench* aus erreicht werden konnten. Die Verbindung würde nur so lange möglich sein, wie der Draht, der sich hinten aus *Suchboot I* abspulte, hielt und nicht riß. Der Draht hatte eine Länge von neun Kilometern. Dann würde er brechen, und sie wären auf sich allein angewiesen. Sie machten sich jedoch keine großen Hoffnungen, daß der Draht in der Algenmasse lange halten würde.

Sie waren beinahe fertig, als Bill Ryan mit erzürntem Gesicht durch die Luke sah. Er nahm sich kein Blatt vor den Mund. »Verdammt noch mal, das ist nicht Ihre Aufgabe!« fuhr er Manning an. »Sie gehören –«

Manning unterbrach ihn. »Mr. Ryan, Sie haben das Kommando.«

Sie starrten sich an, und der finstere Ausdruck auf Ryans Gesicht verschwand langsam. Schließlich nickte er leicht lächelnd.

»Ja«, sagte er. »Daß Sie bloß keine nassen Füße kriegen.«

»Schließen Sie die Luke, Mr. Ryan.«

Sie hörten die Klappe zuschlagen, hörten, wie sie festgeschraubt wurde. Ryan schloß die Schleuse zur Flutkammer, trat durch eine Luke und schloß sie hinter sich. Er blieb vor einer Schalttafel stehen, und Autry an seiner Seite überwachte aus Sicherheitsgründen jeden Handgriff. Ryan bediente Luken, und durch das dicke Metall konnte man verblüffend laut hören, wie das Wasser unter enormem Druck die Luft aus der Kammer preßte. Ryan und Autry vergewisserten sich mit einem Blick durch die Beobachtungsfenster, daß das kleine Boot völlig von Wasser umgeben war, in dem der Außendruck herrschte. Ein grünes Licht leuchtete auf. Ryan öffnete die große Luke im Schiffsboden, und *Suchboot I* sank langsam vom riesigen U-Boot fort in die Tiefe.

Als sie ein Stück entfernt waren, schaltete Manning die Hydrojets ein. Manning machte das Kabinendach durch Knopfdruck durchsichtig.

Schweigend fuhren sie langsam hinab, bis das Boot die Algen berührte, die unter seinem Gewicht nachgaben. Manning verlangsamte den Abstieg, und dann waren sie völlig von lebendem Grün umgeben. Ein gespenstisches Leuchten floß um sie, und trotz der starken Scheinwerfer war nichts zu erkennen. Die grüne Masse schluckte die Sonartöne völlig, und sie konnten sich lediglich blind vorwärtstasten. Die automatischen Systeme übermittelten dem großen U-Boot Daten über Draht. *Suchboot I* kam ins Trudeln, als es gegen ein unsichtbares Hindernis stieß, und ein rotes Licht ging an.

»Der Draht ist gerissen«, sagte Manning gelassen. »Die Verbindung ist unterbrochen. Wir sind allein.«

Dr. Chadwick hinter ihm befand sich in einem Zustand der Faszination, ja der Freude. Ihm war es egal, welche Gefahren auf sie lauern mochten. Er war Wissenschaftler, und er war von reinem Forscherdrang erfüllt. Er war wie trunken, weil er in eine Welt eindringen durfte, die erst alle seine Anschauungen über den

Haufen geworfen hatte und jetzt seine kühnsten Träume über-
stieg. Chadwick ließ ein Tonband laufen, um die unwiederbring-
liche Frische des ersten Augenblicks einzufangen.

Chadwick spähte durch den durchsichtigen Kunststoff, und
seine Augen wanderten zwischen den Anzeigegeräten und der
Wirklichkeit draußen hin und her. »Es lebt«, sagte er verwundert.
»Ich kann es kaum glauben, aber es lebt. Dazu kommt noch«,
sagte er mehr zu sich als zu den anderen, »daß es nicht vom Sauerstoff lebt, der von der Oberfläche herabsinkt. Ich weiß nicht, was
es anstelle der Photosynthese macht, aber den Instrumenten nach
produziert es nicht nur Sauerstoff, sondern auch noch eine Reihe
anderer Gase, und ich möchte wetten, es kann auch Zucker und
Eiweiß umwandeln. Ich kann mir gar nicht vorstellen, wie das
unter dem ungeheuren Druck möglich sein soll.«

Manning nickte und steuerte seine eigenen Gedanken bei.
»Doktor, der Druck ist relativ. Verglichen mit unserer Umgebung herrscht auf der Erdoberfläche fast ein Vakuum. Aber verglichen mit der Oberfläche des Mondes ist unsere irdische Atmosphäre ein Ozean, so dicht und zähflüssig wie das Wasser, das wir
jetzt um uns haben.«

»Ich glaube, wir vergessen lieber unsere Lehrbücher«, sagte
Miko. »Welchen Maßstab wollen wir hier anlegen?«

Castillo beugte sich vor. »Kapitän Manning?«

Manning warf ihm einen Blick zu, und Castillo zeigte auf
einige Anzeigegeräte. »Sir, die Temperatur. Die draußen, meine
ich. Sie steigt.«

Darauf wußte man keine Antwort. Eine weitere Unmöglichkeit. Wegen der Druckverhältnisse ist die Temperatur am Meeresgrund immer höher als weiter oben, aber das macht nur winzige Bruchteile von Graden aus. Und jetzt sahen sie, daß das
Außenthermometer immer höhere Werte anzeigte. Den Grund
kannte man nicht.

»Seht den Druck an!« rief Miko. »Er sinkt!«

»Es wird jeden Augenblick verrückter«, murmelte Manning,
dem anzumerken war, daß es ihn Mühe kostete, die Fassung zu
bewahren.

Castillo zeigte wieder mit der Hand. »Da«, rief er aufgeregt,

»es wird heller vor uns!«

Sie beobachteten erstaunt, wie die grüne Masse von allen Seiten her immer heller wurde. Die Scheinwerfer konnten jetzt tiefer in die Algenmasse eindringen, die weniger Licht zurückwarf. Die grüne Wolke wurde langsam zu einem leichten Nebel. Manning schaltete die Scheinwerfer aus; man konnte jetzt auch ohne sie sehen.

Die Temperatur stieg immer noch an, aber alle Augen waren auf die erstaunlichste aller Tatsachen gerichtet.

»Der Druck«, brachte Miko mühsam hervor. »Meine Güte, er fällt und fällt.«

»Das Sonar«, sagte Manning, während alle noch auf den Druckmesser starrten. »Wir empfangen wieder Signale.«

Miko warf ihm einen Blick zu. »Dieses grüne Zeug, diese Algen sind nur eine Bedeckung, etwas, das über etwas anderem wächst.« Sie sah die anderen an, die warteten, daß sie weitersprechen würde. »All das«, sagte sie und machte eine Handbewegung, »ist ein einziges Netz von Leben. Es ist durchlässig.«

»Aber wie kann das sein?« fragte Castillo. »Der Druck über uns würde doch alles zermalmen.«

Miko schüttelte den Kopf. »Nein, Richard, das sieht nur so aus. Deshalb können auch Fische in der Tiefe überleben. Nicht auf den Druck kommt es an, sondern auf den relativen Druck. Bei Fischen ist der Druck im Gewebe, das ja von Wasser durchsetzt ist, der gleiche wie im Wasser draußen.«

Sie stieß einen leisen Schrei aus, als das Boot plötzlich schwankte. Die grüne Masse ging plötzlich in eine Wand aus Gasblasen über, die ihnen die Sicht nahmen. Manning brachte das Boot durch ein paar Handgriffe wieder unter Kontrolle. Das kleine U-Boot schoß durch die Blasen und befand sich plötzlich in freiem Wasser. Sie rissen die Augen auf.

Das Wasser war so klar und hell, als bewegten sie sich nur wenige Meter unter der sonnenbeschienenen Oberfläche, die mehr als zwölf Kilometer über ihnen lag.

Die Überraschung hatte sie sprachlos gemacht. Sie konnten keinen logischen Gedanken mehr fassen, nur noch schauen und das Fremde aufnehmen. Jeder, der so viel vom Meer verstand wie diese vier Menschen, hätte über den Tatsachen, die sich ihren Augen boten, leicht den Verstand verlieren können. Sie befanden sich in einer Tiefe von über zwölf Kilometern, hatten eine lebendige Kuppel über sich und schauten in eine flüssige, klare Welt, die sich kilometerweit erstreckte, bevor sie sich in der Ferne in Unschärfe auflöste.

Dann blickten sie hinunter, und wieder mußten sie sich schweigend mit dem abfinden, was sich ihren Augen darbot.

Sie schwebten hoch über einem weiten, hell erleuchteten Tal. Verwirrt blickten sie dreihundert oder mehr Meter in die Tiefe, in der Riesentang und andere Pflanzen von riesigen Felsen in die Höhe wuchsen oder aus dichten Wäldern unbekannter Pflanzen aufragten, die den Meeresboden bedeckten. Seltsame Gewächse schwankten in unsichtbaren Strömungen, reckten sich aus einem dichten Teppich langer, unbekannter Graspflanzen in die Höhe und entfalteten dort vielfarbige Blüten.

In der Ferne sahen sie Berge, kleine kuppelförmige Gebilde und andere Dinge, von denen sie nicht wußten, worum es sich handeln mochte. Sie erkannten jedoch auf einen Blick einige der Aale, die sich so wild auf sie gestürzt hatten. Jetzt bewegten sich diese Geschöpfe aber langsam und gar nicht bedrohlich. Neben ihnen schwammen andere Wesen, die wegen der Entfernung jedoch nicht zu erkennen waren.

Die Einzelheiten vereinigten sich zu einem gewaltigen Bild, und wie mit einem Schlag wurde ihnen klar, daß sie sich in einer wunderbaren Unterwasserwelt befanden, in der weder Chaos noch Zufall herrschten, sondern alles nach einer Ordnung aussah.

Miko hatte versucht zu sprechen, hatte aber zunächst nur erstickte Laute herausgebracht. Schließlich gehorchte ihr die Stimme wieder, und sie sagte: »Mein Gott, ich kann es nicht glauben – schaut dort hinüber!«

Sie streckte den Arm so angestrengt aus, daß er zu zittern anfing, und die anderen rissen sich von dem los, was ihre Augen eben gefangenhielt, um zu sehen, was sie zu dem Ausruf veranlaßt hatte.

Es war keine Täuschung. Weite Felder waren in Reihen angeordnet. Die Konsequenzen waren nicht auszudenken.

Chadwick brachte nur ein heiseres Flüstern zustande. »Was wir sehen«, sagte er schwer atmend, »sind Anbauflächen. Es ist nicht zu fassen, aber das sind landwirtschaftliche Anlagen irgendeiner Art.«

Niemand sprach etwas. Wenn man der Wahrheit gegenübersteht, braucht es keine Worte mehr.

Wenn man zwölf Kilometer unter der Meeresoberfläche auf unmißverständliche Zeichen stößt, die auf intelligentes Leben hinweisen, läßt man diesen Augenblick schweigend auf sich wirken.

Jerry Manning war der erste, der aussprach, was alle instinktiv gewußt hatten, sobald sie die Kuppel aus Algen hinter sich gelassen hatten. Er machte eine weite Handbewegung über das ganze Tal hinweg. »Das Licht«, sagte er langsam, »das Licht. Es kommt von überall her und stammt von Lebewesen.«

Es war unübersehbar, daß das Licht nicht von der Sonne stammen konnte. Dies Licht war schon viele Kilometer über ihnen von der Finsternis geschluckt worden. Und trotzdem strömte von allen Seiten Licht zu ihnen herein. Jetzt sahen sie, daß es viele Lichtquellen geben mußte, denn das Licht kam tatsächlich von überall her, und auch das widersprach allem, was sie wußten. Sie gingen in Gedanken durch, was sie über Leuchtorganismen und Biolumineszenz gelernt hatten. Was sie sahen, mußte das Ergebnis einer jahrhundertelangen, wenn nicht sogar jahrtausendealten Beschäftigung mit selbstleuchtenden Lebewesen sein, die man genetisch verändert hatte, um die besten Ergebnisse zu erzielen.

Es gab eine vorherrschende Form des lebenden Lichts, und das wurde ihnen sofort klar, als große Ansammlungen runder Geschöpfe erschienen, die in verschiedenen Höhe schwebten und starkes Licht ausstrahlten. Ob es sich bei ihnen um tierische oder pflanzliche Lebensformen handelte, konnten Manning und die Seinen nicht mit Bestimmtheit sagen. Es handelte sich tatsächlich um Einzelwesen, die zu einer Gruppe zusammengefaßt waren. Ihrer räumlichen Anordnung schien ein Plan zugrunde zu liegen. So weit das Auge reichte, konnte man solche Leuchtwesen sehen.

Castillo riß sich vom Anblick einer nahen Leuchtgruppe los und deutete mit großen Augen in die Tiefe. »Sehen Sie, da unten? Ein bißchen nach rechts. Noch mehr von diesen Dingern.«

Am Boden waren große dunkelrote und orangefarbene Lichtflächen erkennbar. »Das muß etwas anderes sein«, korrigierte sich Castillo. »Das muß irgendwie vulkanischen Ursprungs sein. Man sieht, daß von dort Wärme ausgeht. Das Wasser bildet Wärmeschlieren. Die Leuchtwesen in unserer Nähe verändern das Wasser nicht.« Er schüttelte langsam den Kopf. »Ich möchte wissen, wie die die vulkanische Tätigkeit so in den Griff bekommen haben –«

Er brach ab. Das Wörtchen ›die‹ hatte einen merkwürdigen Klang in ihren Ohren.

Chadwick bemühte sich angestrengt, seinen Gedanken einen gewissen Zusammenhang zu geben. »Wir sehen so viel Widersprüchliches«, sagte er und sprach absichtlich langsam, »daß es gefährlich wäre, voreilig Schlüsse zu ziehen. Gewisse Dinge sind jedoch nicht zu übersehen. Zum Beispiel die Kuppel über uns. Sie ist ein lebendiger Organismus, einem Korallenriff vergleichbar. Vielleicht besitzt sie eine Art strukturierter Intelligenz, wie wir sie bei Ameisen finden. Ich weiß nur, daß sie lebt und daß sie ihren Zweck erfüllt, und das heißt, daß sie zur Fortpflanzung fähig sein muß, daß sie verletzte oder ausgefallene Teile erneuern können muß. Vielleicht produziert diese organische Substanz auch Sauerstoff und andere Gase, denn ganz gleich, wie es im einzelnen aussieht, zwischen den Tieren und Pflanzen hier muß ein Gasaustausch erfolgen.«

Chadwick holte tief Luft und zeigte in die Ferne. »Und diese Felder dort unten, das ist Ackerbau, und das bedeutet Leben mit hoher Intelligenz.«

Castillo starrte ihn an. »Wie hoch?«

»So hoch wie die menschliche allemal.«

Die Worte wurden schweigend aufgenommen. Manning nickte langsam.

Chadwick fuhr ein wenig rascher fort: »Es ist einfach keine Frage, daß es hier eine Ordnung der Lebewesen gibt. Ich brauche mir nur die Dinger anzusehen, die das Licht geben, und ich weiß, daß ich ein Beispiel für meisterlich beherrschte Biologie sehe. Vielleicht eine ungeheuer entwickelte genetische Forschung. Mir ist egal, wie unglaublich das Ganze scheint. Ich glaube, wir können hier auf alles gefaßt sein. Sehen Sie dort die Aale in der Ferne.«

Sie beobachteten die großen Tiere, die sich langsam durch das Wasser bewegten und keine Gefahr für die kleineren Lebewesen darstellten, die neben ihnen schwammen.

»Wie Sie bemerken, zeigen sie jetzt keine Spur von Angriffslust. Man muß also auch wissen, wie sie sich beherrschen lassen. Ich habe keine Ahnung, wie«, sagte Chadwick, »oder von wem. Und der Druck draußen! Haben Sie wieder einmal einen Blick auf die Instrumente geworfen?«

Miko machte ein überraschtes Gesicht. »Es stimmt schon«, sagte Chadwick. »Der Druck ist so niedrig wie in hundertsiebzig Meter tiefem Wasser. Man hat hier die Umwelt auf eine Art in den Griff bekommen, die einfach phantastisch ist.«

Miko Stewart hatte ihre Fassung wiedergefunden. »Wir haben es mit einer einzigen riesigen Symbiose zu tun«, erklärte sie plötzlich, als habe Chadwick sie mit seinen Worten wieder zum Nachdenken gebracht. »Um uns herum ist alles in Harmonie miteinander, die Pflanzen, die Tiere. Wie Dr. Chadwick weiß ich nicht, wer hier die Kontrolle ausübt. Und sehen Sie, dort drüben!«

Sie sahen es jetzt auch. Vom Boden stiegen steile Felswände in die Höhe, in deren Flanken saubere Eingänge gehauen waren. Miko platzte heraus: »Ohne Werkzeuge kann man so etwas nicht machen. Wissen Sie, was das heißt? Das –«

Sie konnte den Satz nicht mehr beenden. Etwas krachte seitlich gegen das Boot, das wild zu schwanken begann. Sie wurden nur durch ihre Gurte vor Verletzungen bewahrt. So plötzlich, wie der Stoß gekommen war, so plötzlich ließ auch seine Wirkung nach, und sie blickten sich verdutzt an.

Miko legte auf einmal die Hände auf die Ohren und zuckte vor Schmerz zusammen. Die anderen hörten den Bruchteil einer Sekunde später ebenfalls den schlimmen, spitzen Ton, der in das Boot drang. Er wurde ständig höher, bohrte sich in ihre Ohren und Gehirne, bis sie sich vor Schmerzen wanden. Chadwick wurde als erster ohnmächtig, nach ihm Castillo, der gequält die Augen verdrehte. Manning sah mit schmerzverzerrtem Gesicht, wie Miko den Mund aufriß und keuchend das Bewußtsein verlor.

Er war stärker als die anderen, kämpfte hartnäckiger gegen die Pein an, doch bald gingen auch ihm die Augen über, und er wußte, daß er ebenfalls gleich besinnungslos werden würde. Er erlebte einen letzten Augenblick unsäglichen Schmerzes und meinte, wahnsinnig geworden zu sein.

Drei grüne menschliche Gesichter mit Kiemenöffnungen am Hals blickten zugleich entschlossen und neugierig zu ihm herein.

14

Sie kamen langsam wieder zu sich. Sie hörten sich stöhnen, weil sie sich in ihren Zuckungen Muskeln und Bänder überdehnt hatten. Ultraschall ist nie angenehm, egal, ob man durch ihn ohnmächtig wird oder später aus der Ohnmacht wieder erwacht. Jerry Manning war der erste, der wieder klar denken konnte, und er nahm den Erste-Hilfe-Kasten und verteilte Schmerzmittel und Wasser.

»Warten Sie noch eine Weile mit dem Sprechen«, warnte er sie. »Machen Sie langsam. Trinken Sie vorsichtig. Immer mit der Ruhe.« Er warf einen Blick durch den durchsichtigen Bug. Draußen herrschte Dunkelheit. Er schaltete die Scheinwerfer ein. Er hatte vor kurzem so viel erlebt, daß ihn nichts auf der Welt mehr überraschen konnte, und deshalb war ihm äußerlich nichts anzumerken, als er feststellte, daß sich das *Suchboot I* oberhalb der grünen Kuppel befand. Er sah sich sorgfältig die Instrumententafel an, musterte jedes Instrument einzeln, überprüfte den Zustand des Bootes. Alle Systeme waren in Ordnung. Er heftete die Augen an ein blinkendes Licht des Navigationsschirmes. Über die Lautsprecher war ein schwacher, tiefer Ton zu hören.

»Das Leitsignal zurück zur *Sea Trench*«, teilte er den anderen mit.

Gewisse instinktive Verhaltensweisen scheinen sich nie zu ändern. Miko blinzelte und konnte wieder scharf sehen. »Wo sind wir?« murmelte sie.

»Im Meer.« Als Manning sah, daß sein Witz nicht ankam, fügte er rasch hinzu: »Wir sind oberhalb der Kuppel. Ich weiß nicht, wie wir hierher gekommen sind, aber von den Schmerzen abgesehen, sind wir in Ordnung.«

Er schwieg wieder und schaltete das Boot auf automatische Steuerung, die sie mit Hilfe des Leitstrahls zum Mutterschiff zurückbrachte. Sie legten den Weg fast stumm zurück. Sie sahen schweigend, wie Manning das kleine Boot in den Bauch der *Sea Trench* steuerte. Das Kleinst-U-Boot wurde von Haken gepackt, die Tür nach außen schloß sich, und Luft drängte das Wasser aus der Schleuse.

Sie waren noch immer in der Schleusenkammer, als Manning Kontakt mit Ryan aufnahm. »Bill, holen Sie sofort den Arzt her. Wir müssen in der Krankenstation eingehend untersucht werden.«

»Was ist passiert?« fragte Ryan aufgeregt.

»Später, später«, sagte Manning plötzlich müde. »Sagen Sie John, daß wir eine Dosis Ultraschall abbekommen haben, die beinahe tödlich war.«

»Ultraschall? Du lieber Himmel!«

Als die Luken geöffnet wurden, wartete schon Dr. John Simmons mit Matthews und Williams auf sie. Als erste nahmen sie die bleiche und schwankende Miko in Empfang. Eine kurze Untersuchung genügte Simmons. Er befahl den anderen Männern: »Schaffen Sie sie alle sofort auf die Krankenstation!«

Sie packten Manning an den Armen. »Nein, einen Augenblick«, sagte Manning zu Ryan. »Holt die Bänder aus dem U-Boot. Sofort entwickeln.«

»Verdammt!« rief Simmons. »Alle sofort in die Krankenstation!«

Manning wäre gefallen, wenn ihn die anderen nicht gestützt hätten. »Machen Sie, was . . . ich . . . gesagt habe. Die Bänder nur . . . auf meinen . . . Befehl öffnen . . . und . . .«

Er sackte zusammen.

Bill Ryan stand neben dem Arzt in der Krankenstation. Die vier, die sich an Bord des *Suchboots I* befunden hatten, schliefen fest. »Die werden mindestens sechs Stunden nicht aufwachen«, sagte Simmons. »Und sie brauchen die Ruhe auch.«

Ryan machte ein finsteres Gesicht. »Na schön, Doc, ich spiele jetzt seit zwei Stunden Krankenschwester, ohne meinen Mund aufgemacht zu haben. Jetzt ist es Zeit, daß Sie was sagen. Was ist ihnen zugestoßen?«

Simmons zuckte die Schultern. »Sie haben gehört, was der Kapitän anordnete.«

»Ultraschall? Wie kann es den da unten geben?«

»Keine Ahnung, Bill. Es hat ihn jedoch gegeben. An jedem einzelnen sind die Wirkungen von Ultraschall festzustellen. Man kann sagen, er bewirkt eine äußerst harte und sehr gefährliche innere Massage. Die Organe und alles andere werden in Mitleidenschaft gezogen.«

»Das ist doch verrückt, John. In Wasser unter diesem Druck gibt es keinen Ultraschall.«

»Stimmt«, erwiderte der Arzt freundlich. »Und trotzdem ist es passiert.«

»Haben Sie eine Ahnung, wie?«

»Bill, ich bin Arzt, kein Experte für Hydrographie.«

»Dann sagen Sie mir«, fuhr Ryan fort, »was Sie bei Ihrer Untersuchung festgestellt haben.«

Simmons nickte. »Sie haben alle ihren Gleichgewichtssinn fast völlig verloren. Sie haben Schwindelanfälle, wenn Sie so wollen.«

»Weiß ich, weiß ich«, sagte Ryan. »Erst der Schwindelanfall, dann Ohnmacht. Verdammt, das bedeutet, daß sie hilflos wie Babys waren.«

»Schlimmer«, erklärte Simmons. »Sie wären um ein Haar getötet worden.«

Ryan ging von Liege zu Liege und sah sich die Schlafenden an. Er sagte langsam: »Dann hat irgend jemand versucht, sie umzubringen.«

Simmons Antwort ließ ihn herumfahren.

»Sie haben unrecht, Bill.«

»Unrecht? Wie können Sie so etwas sagen? Sie waren völlig hilflos, sie wurden von einem Ultraschallstrahl heimgesucht, den es schon gar nicht geben kann, und Sie –« Er verstummte, weil ihm aufging, was der Arzt gemeint hatte.

»Genau«, sagte Simmons. »Sie waren ohnmächtig und hilflos. Wenn jemand sie töten wollte, warum hat er es dann nicht getan? Leicht genug wäre es gewesen.«

»Möglich«, gab Ryan zu. »Versucht hat man es auf jeden Fall.«

Simmons schüttelte den Kopf. »Ganz und gar nicht, Bill. Wären sie dreißig Sekunden weiter dem Ultraschall ausgesetzt worden, hätten sie das nicht überstanden. Man hat bewußt davon abgesehen, ihnen bleibende Schäden zuzufügen.«

Ryans Wut legte sich. »Sie meinen, man hatte sie in der Gewalt und ließ sie entkommen?«

»Stimmt«, sagte Simmons. »Man ließ sie entkommen.«

Ryan nickte und traf eine Entscheidung. »Also, Doc, ich weiß jetzt, was ich tun muß. Ich habe keine Ahnung, was in dem kleinen Boot passiert ist, und bis der Kapitän nicht wach ist, werden wir es auch nicht erfahren, aber er hat mir gesagt, ich soll das Kommando hier übernehmen, und genau das werde ich tun. Ich mag nicht, wenn man mit meinen Leuten Katz und Maus spielt. Sollte sich uns irgend etwas nähern, dann wird es zermalmt.« Er schlug mit der rechten, zur Faust geballten Hand in die linke.

Er stapfte aus der Krankenstation und kehrte zur Brücke zurück. Die *Sea Trench* wurde in Alarmbereitschaft versetzt. Die langen Stunden verstrichen jedoch in völliger Stille, und das U-Boot blieb unbehelligt. Ryans Ungeduld nahm zu. Schließlich begann Manning sich zu bewegen und wachte auf. Eine heiße Dusche, ein gutes Essen, eine Menge Kaffee, und Manning war wieder in Form.

Es war Zeit, sich die Filme anzusehen.

Sie versammelten sich stumm und ernst im großen Aufenthaltsraum. Man wollte sich anscheinend erst unterhalten, wenn man die automatisch aufgenommenen Bänder und Filme aus dem

Suchboot I gesehen hatte. Manning hatte mit niemandem über das gesprochen, was er im letzten Augenblick gesehen hatte, bevor er ohnmächtig wurde, und er war der einzige im Raum, der nicht verblüfft war, als auf der Leinwand drei grüne Gestalten auftauchten, die direkt auf die Kamera zuschwammen und durch den gläsernen Bug ins Innere starrten.

»Den Film anhalten!« befahl er, und die drei menschlichen Gesichter vor ihnen wurden bewegungslos. Die Leute im Raum brachten kaum ein Wort heraus. Man hatte menschenähnliche Wesen vor sich. Alle Mythen über gräßliche Ungeheuer, die in den Tiefen hausten, waren im Nu vergessen. Die Gestalten auf der Leinwand waren offenbar neugierig, intelligent, mit technischem und philosophischem Verstand begabt.

Die Kiemenöffnungen am Hals waren deutlich zu sehen und konnten mit einer Hautfalte ganz geschlossen werden. Die Muskeln waren gut entwickelt, aber in einer Welt der Gewichtslosigkeit waren die Körper vor allem auf Biegsamkeit angelegt. Bei der Stillstandprojektion war der grüne Schimmer der Körper besser zu erkennen als in der Bewegung, und es war ohne Zweifel klar, daß die Haut dem Salzwasser angepaßt war. Die Schwimmhäute an Händen und Füßen überraschten sie nicht, hatten sich die Wesen doch dem Meer assimiliert.

Da waren noch andere Dinge, die die Aufmerksamkeit auf sich zogen. Jeder Blick brachte eine Unmenge an Information. Zwei der drei Gestalten hielten seltsame Strahler mit gewehrähnlichen Mündungen in den Händen. Die Strahler bestanden eher aus keramischem als metallischem Material. Als man den Film zurücklaufen ließ, zeigte sich, daß die zwei Gestalten die Strahler aus einiger Entfernung auf das kleine U-Boot gerichtet hatten, und als sie näher kamen, hielten sie die Waffen nicht mehr im Anschlag. Zwei der grünen menschenähnlichen Wesen hatten Gurte umgeschnallt, an denen Taschen saßen, die aus irgendeinem Gewebe pflanzlicher Fasern zu bestehen schienen.

Die Gurte waren zum Teil mit Muscheln oder Ähnlichem verziert, und das ließ den Schluß zu, daß die Wesen ihr Augenmerk nicht nur auf das Praktische richteten. Es konnte sich um Verschönerungen wie auch um Rangabzeichen handeln, denn der dritte, der offenbar um einiges älter war und auch keine Waffe bei sich führte, war prächtiger geschmückt.

Die drei wirkten weder zornig noch erschrocken, und ihre Gesichter drückten nichts als Entschlossenheit aus. Der ältere schien fast gleichmütig, als habe er alles so kommen sehen, als sei es unvermeidlich, die Besatzung des U-Bootes in eine Ohnmacht zu schicken.

Mannings Stimme riß alle aus ihren Betrachtungen. »Bitte, Licht!« rief er.

Die Szene auf der Leinwand verblaßte etwas, während Mannings Gesicht hell wurde. »Ich habe einen bestimmten Grund, warum ich den Film hier anhalten ließ«, sagte er und sah sich die Gesichter um den langen Tisch an. Da saßen Miko, Chadwick, Templeton, Jessica, Castillo, Bill Ryan und Syd Prentiss.

»Von uns hat noch keiner gesehen, was als nächstes kommt. Ich möchte, daß wir es uns zusammen ansehen. Bevor wir fortfahren, müssen wir aber bedenken, daß wir mit neuer Information, mit neuen Denkanstößen überflutet worden sind und eine Unterbrechung brauchen. Das gibt uns Gelegenheit, unsere Gedanken und Ansichten auszutauschen. Ich möchte das, was bis jetzt geschehen ist, einer Würdigung unterziehen.«

Im ganzen U-Boot verfolgte die restliche Besatzung das Treffen über Fernsehen.

Manning fuhr fort: »Bevor wir anfangen, möchte ich etwas klarstellen. Es handelt sich hier nicht um eine Besprechung. Sie hatten Zeit, sich das durch den Kopf gehen zu lassen, was sich bis jetzt ereignet hat. Sie haben gewisse Schlüsse gezogen. Sie sind gebeten worden, Ihre Interpretation der Ereignisse in den Computer einzugeben. Ich möchte, daß Sie das noch einmal tun und Ihre Gedanken über die Computereingänge vor Ihnen auf den neuesten Stand bringen. Bitte keine Diskussionen. Ändern und verbessern können Sie später immer noch. Wenn wir diese Sitzung abgeschlossen haben, werden wir sehen, wie der Computer die Lage einschätzt, und dann können wir uns entscheiden, wie wir weitermachen.«

Mit seiner Stoppuhr konnte Manning feststellen, daß alle nach achtzehn Minuten mit der Arbeit fertig waren und sich zurücklehnten. Manning ließ den Blick über die Gruppe schweifen und nickte Miko Stewart zu. »Miko, fangen Sie bitte an.«

Er hatte sie zum erstenmal beim Vornamen genannt, doch ihr fiel das in der Aufregung zunächst gar nicht auf.

Sie holte tief Luft. »Es ist so schwer, das in Worte zu kleiden«, sagte sie vorsichtig. »Eine Tatsache überragt jedoch alle anderen, und wir können nur weitermachen, wenn wir uns ihr gestellt haben.«

Sie schwieg, sah die anderen an und blickte dann Manning fest in die Augen. »Wir haben eine neue Rasse entdeckt, eigentlich unsere eigene Gattung, die sich aber genetisch in anderer Richtung entwickelt hat. Daher die Unterschiede zu uns.« Sie schloß die Augen, atmete tief ein und fuhr dann fast ein wenig zitternd fort: »Diese Leute sind keine andere Gattung. Es ist unglaublich wichtig, daß wir das nicht vergessen. Sie sind menschliche Wesen wie wir auch, ganz gleich, wie sehr sie sich ihrer Umwelt angepaßt haben. Es handelt sich um eine intelligente menschliche Rasse, die sich ganz dem Leben im Wasser angepaßt hat. Ich vermute, daß die physiologischen Prozesse bei uns und bei ihnen dieselben sind. Nun, ich hätte noch viel mehr zu sagen, aber wir beschränken uns am besten auf das Wesentliche.«

Manning nickte langsam und wandte sich dann nach links. »Dr. Chadwick?«

Der alte Mann seufzte. Man sah ihm an, daß er seiner Erregung nur schwer Herr werden konnte. »Dr. Stewart hat natürlich recht. Ich möchte aber etwas hinzufügen. Es geht dabei um den Druck unter der Kuppel. Er ist sehr niedrig. Handelt es sich also bei ihnen wirklich um Geschöpfe der Tiefsee? Können sie nur unter ihrer Kuppel, in ihrem Tal leben? Können sie dem gewaltigen Druck außerhalb ihrer Kuppel standhalten? Wenn sie es können, dann entdecken wir vielleicht, daß diese Rasse so wie die Familie der Wale und Tümmler ins Meer zurückgekehrt ist, Landtiere, die aus dem Meer aufs Land kamen und vielleicht wegen einer gewaltigen Eiszeit ins Meer zurückkehrten. Vielleicht war das in diesem Fall auch so. Am verblüffendsten ist, daß sie an der zweibeinigen Form festgehalten haben. Sie haben sich dem Meer angepaßt, aber nicht so total wie die Wale. Gesellschaftsformen, Ackerbau, Technik, für die wir Beweise im Tal gesehen haben, machen es mir leicht, mich Dr. Stewart anzuschließen. Wir haben es mit einer äußerst ungewöhnlichen menschlichen Rasse zu tun.«

Manning wollte keine Zeit vergeuden. »Mr. Templeton?«

»Ich möchte nur Anmerkungen zu dem machen, was bis jetzt gesagt worden ist. Ich möchte annehmen, daß diese Rasse im Wasser ebenso wie wir in der Luft Kommunikationsmöglichkeiten entwickelt hat. Ich möchte sogar sagen, daß sie über irgendeine Art Schrift verfügt. Jede geschichtliche Sprache beinhaltet Aufzeichnungen aus der Vergangenheit, und vielleicht schließt die Geschichte dieser Leute Lücken, die wir bis jetzt nicht füllen konnten.«

»Sehr schön«, sagte Manning. »Daran hatte ich noch gar nicht gedacht. Jessica?«

Das Mädchen platzte fast vor Begeisterung. »Sie sind herrlich. Die schönsten Menschen, die ich je gesehen habe.« Sie zeigte auf die Leinwand. »Sie geben mir ein Gefühl von Wärme und Intelligenz. Ich meine, man kann das sehen, man kann es spüren.«

Templeton winkte mit der Hand ab und sagte: »Jessica, die gleichen Leute haben uns angegriffen und haben versucht, uns zu töten.«

Sie schüttelte heftig den Kopf. »Das wissen Sie noch nicht, und selbst wenn es stimmen sollte, wissen Sie nicht, warum sie es taten oder glaubten, es tun zu müssen. Wir hier sind alle keine Mörder, Mr. Templeton, aber wir sind Amerikaner, und wir haben im letzten Krieg doch Wasserstoffbomben eingesetzt, nicht wahr? Wir werden Antworten bekommen, wenn wir mit ihnen reden werden. Ich sage nicht, daß die wissenschaftliche Seite nicht sehr wichtig ist, aber wenn wir kein Gefühl für sie haben oder sie keines für uns –« Sie zuckte hilflos mit den Schultern. Weitere Worte waren sinnlos.

Manning lächelte sie freundlich an. »Ihre Gefühle, Jessie, sind mindestens so wichtig wie jedes wissenschaftliche Urteil. Möchten Sie dem Gesagten noch etwas hinzufügen?«

Sie nickte. »Sehen Sie, da ist noch mehr – nun, Sie haben die großen Aale gesehen, die leuchtenden Geschöpfe auf den Filmen.

Sehen Sie nicht, was das bedeutet? Die Leute leben in vollkommener Symbiose mit ihrer Umwelt. Sie leben in Harmonie mit den Wesen ihrer Umgebung, eine Sache, von der wir auf der Oberfläche immer reden, die wir aber auch verwirklichen müßten. Diese Leute haben sie in ihrem Alltag verwirklicht.«

Manning blickte ihr fest in die Augen. »Wir werden sehen, Jessica, Sie haben erst einen kurzen Blick getan und schließen daraus schon sehr viel. Das hat in der Vergangenheit zu beträchtlichen Fehlern geführt. Natürlich können Sie aber ebenso recht haben. Und jetzt Richard?«

Castillo zögerte. »Ich, also ich habe auf andere Dinge geachtet.«

»Das habe ich von Ihnen auch erwartet. Nur zu.«

»Nun, es ist, wie Dr. Chadwick sagte. Daß eine Gesellschaftsform besteht. Ich habe mir angesehen, wie sie die vulkanische Hitze in den Griff bekommen haben. Was ich in der Kürze entdecken konnte, hat mir eine Menge gezeigt. Ich habe auch die Gebäude gesehen, die Bauten mit den Eingängen. Sie waren herausgeschlagen worden. Ich würde sagen, es gibt dort Höhlen, die mit Luft gefüllt sind, und in denen sie keramische Techniken entwickelt haben können. So, wie wir gelernt haben, mit Metallen und Legierungen umzugehen. Sie haben vielleicht eine ähnliche Technologie, die auf keramischen Werkstoffen aufbaut. Sie sind vielleicht so hoch entwickelt, nur auf andere Art. Und da ist noch etwas, Kapitän Manning . . .«

Manning sah ihn sich genau an. »Nur zu, Richard, Sie brauchen sich kein Blatt vor den Mund zu nehmen.«

Castillos Worte schlugen wie eine Bombe ein. »Sie atmen Luft.«

Der Satz des jungen Mannes ließ sie verstummen, bis Prentiss, der bis jetzt geschwiegen hatte, sich zurücklehnte, beide Hände auf den Tisch legte und sagte: »Meine Güte, er hat recht. Er muß einfach recht haben.« Nach kurzer Pause fuhr er fort: »Der menschliche Embryo durchläuft eine Phase, in der er Kiemen entwickelt. Wir alle wissen das. Wir wissen aber auch, daß die Kiemen sich auf Grund genetischer Informationen wieder schließen, so, wie wir auch keinen Schwanz mehr entwickeln. Rudimentäre Anlagen dazu sind jedoch da, und zwar seit Millionen von Jahren, und wir stehen auf einer Sprosse der evolutionären Leiter, die von den Bedingungen auf der Erdoberfläche geformt wurde. Wir haben die Kiemen verloren, weil wir den Sauerstoff nicht dem Wasser entnehmen müssen. Menschen können jedoch chirurgisch oder bionisch so verändert werden, daß sie unter Wasser leben können, weil die Anlage dazu immer vorhanden war.«

Prentiss hatte jetzt leuchtende Augen bekommen. »Unsere Körper bestehen zum größten Teil aus Wasser, aus dem Wasser, das sich in den Meeren findet; allerdings muß man dazu sagen, daß die Salze im Blut nicht mehr denen der heutigen Meere entsprechen. Wir tragen in uns die Meere, wie sie vor Hunderten von Millionen Jahren waren, und unser chemischer Feinbau muß dem dieser Leute entsprechen.«

Dr. Chadwick hatte sich behaglich eine Pfeife angezündet und nickte Prentiss zu. »Sie haben selbstverständlich recht. Der genetische Code jedes Lebewesens auf diesem Planeten reicht bis in die Uranfänge zurück. Der Unterschied liegt nur darin, daß wir – und, äh, unsere Vettern im Meer die Gewinner des evolutionären Wettstreits sind. Wir bestehen aus Zellen, die gelernt haben, andere Zellen zu fressen. Das bedeutet Wachstum und – aber ich brauche hier keine Vorträge für Anfänger zu halten. Es gibt jedoch ein grundlegendes Gesetz. Wir verändern uns immer noch. Der Hai hat sich seit Jahrmillionen nicht verändert, und obwohl er räuberisch lebt, kann er seine Umwelt nicht verändern. Viele Tiere haben einfach nur überlebt. Der Mensch steht oben auf der Leiter, weil er seine Umwelt besser in den Griff bekommen kann als jedes andere Lebewesen. Dieser andere Mensch hat das gleiche unter unglaublich schwierigen Bedingungen tief im Meer zuwege gebracht. Doch unter unserer verschiedenfarbigen Haut sind wir Wesen der gleichen Art.«

Miko war fast außer sich. Sie wartete ungeduldig auf eine Unterbrechung in Chadwicks Redestrom. »Dr. Chadwick, Sie sagen, der Mensch ist das dominante Lebewesen auf dem Planeten geworden, weil er seine Umwelt besser beherrschen kann. Ich glaube, das ist sehr wichtig, weil uns das zu weiteren Aufschlüssen über diese Leute verhelfen kann.«

»Wie?« fragte Manning.

»Wir haben immer geglaubt, daß der Delphin das intelligenteste Wesen des Meeres ist, und jetzt zeigt sich, daß sich auch im Meer Menschen entwickelt haben.«

Chadwick sagte plötzlich: »Einen Augenblick, wenn diese Leute Luft atmen, wenn sie aus der Luft ins Wasser und zurück können, wenn sie mit Luft gefüllte Höhlen haben, dann können sie über eine gesprochene Sprache verfügen, die auf den gleichen akustischen Gegebenheiten basiert wie unsere.«

Prentiss hob eine Hand. »Sie meinen, die haben wie wir Stimmbänder entwickelt?«

»Sehen Sie sich das Bild an. Das sind Menschen, keine Fische.«

»Wir können mit ihnen Verbindung aufnehmen«, pflichtete ihm Miko bei.

Der ganze Raum füllte sich plötzlich mit Stimmengewirr. Manning wollte nicht eingreifen und wartete den Gedankenaustausch ab. Die anderen bemerkten nach einiger Zeit sein Schweigen und beendeten ihre Zwiegespräche. Sie sahen, wie Manning Bill Ryan einen Blick zuwarf, wie dieser leicht den Kopf schüttelte und lächelte.

»Na schön«, sagte Manning, »heraus mit der Sprache!«

Ryan sah Manning unverwandt in die Augen. »Sie kennen das alte Sprichwort, daß man manchmal den Wald vor lauter Bäumen nicht sehen kann.«

»Ich verstehe nicht«, warf Chadwick ein.

Ryan sagte: »Hier versteht niemand. Sie haben es alle übersehen. Sie waren so eifrig dabei, Tatsachen anzuhäufen, daß Sie übersehen haben, was Sie direkt vor Ihren Nasen hatten.«

Jessie fragte unruhig: »Machen Sie sich lustig über uns?«

»Nein, nein«, antwortete Ryan rasch. »Man darf aber nicht nur auf die Worte hören, man muß auch den Ton aufnehmen, in dem sie gesagt werden. Begreifen Sie noch nicht? Sie nennen diese Seewesen Leute, aber Sie haben sie noch nicht als menschliche Wesen anerkannt, als Homo sapiens Ihrer eigenen Gattung. Sie haben kein einziges Mal daran gedacht, daß sie uns überlegen sein könnten. Nicht, was Waffen oder Technologie betrifft, sondern was die Lebensweise angeht. Sie sind grün. Das macht sie für uns vom Psychologischen her anders. Sie haben Kiemenöffnungen, wieder ein Unterschied. Sie haben Schwimmhäute und können im Wasser Sauerstoff atmen. All das ist anders, und Sie haben sich auf die Einzelheiten gestürzt, dabei aber das Wichtigste übersehen.«

Er mußte belustigt lachen. »Der Mensch beherrscht seine Umgebung, der Delphin tut's nicht, also ist der Mensch das überlegene, das höhere Wesen. Aber ist er wirklich das bessere Geschöpf? Der Natur scheint es gleich zu sein. Nur die Muskeln zählen, wie?«

Manning wollte ihn unterbrechen. »Bill, ich –«

»Einen Augenblick, Kapitän. Vielleicht liegt es an meiner dunkleren Hautfarbe, daß ich dem Geheimnis auf die Spur gekommen bin. Denken Sie mal nach.«

Sie warteten schweigend, und er legte die Arme auf den Tisch. Das Lächeln war von seinem Gesicht verschwunden. Er sah einsam aus, und seine Stimme klang gespannt. »Die haben uns einer Prüfung unterzogen.«

Er starrte von einem zum anderen. »Verstehen Sie nicht? Die haben Verbindung mit uns aufgenommen. Sie haben uns klar gezeigt, daß sie lieber reden als kämpfen, daß sie, ganz gleich, was vorher mit *Swimmer IV* geschehen ist, uns kein Leid antun wollen, daß sie einen Kontakt herstellen wollen.«

Templeton sagte als erster etwas. »Sie unterstellen eine Menge.«

»Machen Sie doch die Augen auf. Die Beweise liegen vor uns. Hier, Manning, Stewart, Chadwick, Castillo.«

Jemand wollte Einspruch erheben, aber Ryan wischte ihn ungeduldig vom Tisch. »Diese vier Menschen leben!« rief er. »Die Seemenschen hatten sie in ihrer Gewalt, bewußtlos, hilflos, und sie hätten sie einfach umbringen können. Statt dessen brachten sie das Boot aus der Kuppel heraus und ließen sie frei.«

Er lachte heiser. »Ich sage Ihnen noch etwas. Es ist nur eine Vermutung. Vielleicht ist es verrückt, aber ich könnte meinen Kopf darauf verwetten. Ich wette, die verstehen Englisch.«

Sie starrten ihn ungläubig an. Ryan fragte Templeton: »Was

sagen Sie dazu? Sie sind doch ein heller Kopf, haben Archäologie und Sprachen studiert. Glauben Sie, daß die Englisch verstehen?«

Templeton erwiderte gereizt: »Das ist doch verrückt. Es hat nie eine Begegnung, ein Austausch stattgefunden. Die können doch unmöglich –«

»Sie liegen ganz falsch. Wissen Sie, wie viele unserer Schiffe hier in diesen Gewässern untergegangen sind, wie viele Flugzeuge hier abgestürzt sind? Mit Logbüchern, Büchern, Bildern, technischen Anleitungen und so weiter? Sie konnten sich über die Jahre alles zusammenreimen.« Er wandte sich an Manning. »Prüfen Sie es nach, Kapitän. Ich glaube, Sie können den Rest des Films laufen lassen, und dann werden wir auch den Rest der Botschaft mitbekommen.«

Manning sah Ryan längere Zeit an. Schließlich nickte er, und der Film lief an.

Über Ton kamen nur die Wassergeräusche, die die Hydrophone aufgenommen hatten. Hinter den menschlichen Gestalten tauchten drei große Zitteraale auf.

Jessica rief: »Schauen Sie! Die haben eine Art Band um den Hals!«

Sie hatte recht. Die Aale glitten näher, und man konnte eine Art Kennzeichen an ihren Hälsen erkennen. Eines der menschenähnlichen Wesen hob eine Hand, und die Geschöpfe blieben auf Abstand. Sie waren gut und gern über dreißig Meter lang.

Chadwick sagte mit erstickter Stimme: »Diese Aale – gehorchen ihnen wie Haustiere.«

»Vielleicht sind sie das auch«, sagte Prentiss. »Nicht nur das –«

Er brach ab, als weitere Gestalten in Sicht kamen, die große leuchtende Kugeln mit sich führten. Das Bild wurde heller. Eine der Gestalten trug Abzeichen aus einem perlmuttähnlichen Material. Sie war älter als die anderen und trug einen kleinen Stab in der Hand, der, vom Licht getroffen, manchmal hell aufblitzte. Sie schwebte geschmeidig näher und machte eine Handbewegung. Einige Leuchtorganismen trieben näher, bis das menschenähnliche Wesen von Licht umgeben war. Die Zuschauer in der

Sea Trench sahen, wie die Kiemen arbeiteten, wie leicht sich der Körper im Wasser bewegte, und dann geschah etwas Unglaubliches.

Niemand konnte mehr zweifeln, daß das Wesen wußte, was eine Kamera war und welche Aufgabe sie erfüllte. Die Menschen in dem kleinen U-Boot waren ja bewußtlos. Was es jetzt tat, hatte nur Sinn, wenn es von einem Aufnahmegerät wußte.

Es blickte direkt in die durchsichtige Kanzel, direkt in die Kamera und lächelte. Der Gesichtsausdruck war nur warmherzig und schön zu nennen.

Jessica begann leise zu weinen.

Die Gestalt auf der Leinwand vor ihnen breitete die Arme aus. Sie blickte von einer Hand zur anderen und drehte die geöffneten Handflächen nach oben.

Ryan rief: »Sie weiß, daß wir den Augenblick irgendwie wiederholen können!«

Das menschenähnliche Wesen zog die Arme an den Körper und machte eine Handbewegung, und eine andere Gestalt kam an seine Seite, übergab ihm einen großen flachen Gegenstand. Er glänzte wie eine Tafel aus Perlmutt, und der Mann brachte sie näher an die Kamera.

Im Aufenthaltsraum war es totenstill. Alle blickten betäubt auf einen vollkommenen Kreis, neben dem sich zwei Zahlenreihen befanden. Die eine bestand aus ihnen unbekannten Zeichen. Die andere war direkt unter die fremden Symbole gesetzt und bestand aus arabischen Ziffern. Sie lasen: 3,14159.

Chadwick sagte beinahe schluchzend: »Das hätte ich mir meiner Lebtag nicht träumen lassen.«

Ryan sagte siegessicher: »Jetzt müssen Sie es wohl glauben. Schauen Sie ihn an. Er lächelt, weil er sich denken kann, welche Reaktion das bei uns hervorruft.«

Miko wandte sich an ihn. »Aber wie . . . ich meine, das sind nicht einfach Zahlen, das ist der Wert für Pi, das ist höhere Mathematik . . . mein Gott . . .«

Manning umklammerte fest ihre Hand, als könne er ihr so Stärke geben. »Sie haben recht«, sagte er zu ihr und den anderen.

»Wir sehen Leute, die unter Wasser leben, nie die Sonne, die Sterne oder den Mond gesehen haben, die nichts vom Rad wissen, weil sie es nicht brauchen, und die doch das Verhältnis von Kreisdurchmesser und -umfang berechnet haben. Eine wissenschaftliche wie auch philosophische Leistung. Ich möchte nur wissen, wie die –«

Er schwieg wieder, als eine andere Gestalt herbeischwamm und dem Alten etwas übergab. Wieder das warme Lächeln. Er schwamm geschmeidig wie ein Delphin dicht an den durchsichtigen Bug heran. Er hielt einen flachen, gläsernen Kasten vor die Kamera. Jetzt gab es keine Fragen mehr.

Ryan hatte recht gehabt. In dem Kasten befanden sich zwei nautische Bücher. Sie konnten auf den Umschlägen eindeutig die Worte ›Eigentum der U.S. Marine‹ erkennen.

Ryan schlug mit der Hand auf den Tisch: »Ich hab's gewußt!«

Die Gestalt zog sich zurück, und das Bild wurde etwas unscharf, als eine größere Gruppe in Begleitung von Aalen näherkam. Das Bild wackelte, Luftblasen stiegen auf, und man konnte sehen, wie ein großes Netz über den Bug des Bootes gezogen wurde. Dann kam die Unterseite der grünen Kuppel in Sicht. In diesem Augenblick hörte der Film auf.

Im Aufenthaltsraum gingen die Lichter an. Die Menschen, die sich um den Tisch versammelt hatten, sahen sich stumm und wie erstarrt an. Miko bemerkte, wie fest Manning ihre Hand umklammert hielt. Sie errötete ein wenig und zog die Hand zurück. Er nahm es anscheinend nicht wahr. Jessica weinte leise. Prentiss hatte einen Arm um sie gelegt. Niemand schien in der Lage zu sein, etwas zu sagen. Manning erhob sich langsam und sah Ryan an. Der hatte schon alles begriffen gehabt, als sie sich noch wie blind vorwärtstasteten.

»Nicht schlecht«, sagte Ryan. »Wir haben unser ganzes Planetensystem nach Leben abgesucht, und wo finden wir es? Im Meer, und noch dazu in der Gestalt einer verwandten Rasse.«

15

Der glänzende Rumpf der *Sea Trench* tauchte aus dem Wasser, und phosphoreszierender Schaum flog in der Dunkelheit über die runden Flanken des großen Bootes. Auf der Brücke überprüfte man Radar, Sonar und Lasersuchgeräte.

Ryan nickte. »Die Luft ist rein.«

Einen Augenblick später öffnete sich die oberste Luke des Turmes, und einige Gestalten traten auf die schmale Plattform hinaus, die den Turm umgab. Sie trugen Schwimmwesten und hielten sich an dem Seil fest, das die Reling ersetzte. Prentiss hatte einen Kopfhörer auf und blickte zum Himmel hinauf. Er zeigte nach Osten, und von dort näherte sich ein Heulen und Pfeifen. Einige Augenblicke später kamen Positionslichter in Sicht. Ein Hubschrauber schwebte trotz der Böen über ihnen und ließ einen Käfig zum Turm hinab. Jerry Manning half Miko Stewart hinein, schnallte ihr den Sicherheitsgurt um und folgte ihr in den Käfig. Der Helikopter stieg in die Höhe und zog gleichzeitig den Käfig hinauf. Die *Sea Trench* verschwand im dunklen Gewässer.

Fünfunddreißig Minuten später stiegen Manning und Miko in ein kleines Düsenflugzeug um, das gleich startete und bald die Schallmauer durchbrochen hatte. Mit mehr als doppelter Schallgeschwindigkeit rasten sie nach Südosten.

Als das Flugzeug in Virginia gelandet war, rollte es in eine unterirdische Halle. Tore rumpelten zu, als die Triebwerke zum Stillstand gekommen waren. Manning und Miko Stewart wurden zu einem Aufzug geführt.

Sie sausten zwanzig Stockwerke in die Tiefe, mußten in einen metallisch glänzenden Wagen steigen, der mit ihnen zischend durch eine Röhre fuhr. Eine Lautsprecherstimme verkündete: »Ankunft in dreißig Sekunden. Halten Sie Ihre Kennmarken bereit.«

Der Wagen bremste ab, die Türen glitten lautlos auf, und sie fanden sich in einem Raum wieder, in dem Warnlichter blinkten und eine beträchtliche Anzahl Bewaffneter Wache standen. Man führte sie an eine Computerwand, wo sie sicherheitsmäßig überprüft wurden. Sie liefen durch Korridore, bis sie zu einer dicken

Glastür kamen, die automatisch aufging. Im Büro dahinter saß eine hübsche junge Frau, die sie freundlich hereinbat. »Dr. Stewart, Kapitän Manning, hier entlang bitte. Der Präsident erwartet Sie.«

Miko blieb wie angewurzelt stehen und starrte Manning an. »Der Präsident?« brachte sie schließlich heraus.

»Ja, ja.«

»Sie haben nie etwas davon gesagt, daß wir den Präsidenten sehen würden.«

»Sie haben ja nie gefragt.«

Sie sah sich um. »Ich weiß, es klingt blöd, aber wo sind wir?«

»In New Washington«, antwortete Manning. »Tief unter der Erde. Jetzt geht es aber wieder hinauf.«

Sie betraten einen Aufzug und wurden rasch an die Oberfläche zurückgebracht. »Es gibt keinen anderen Weg, um in die privaten Gebäude auf der Oberfläche zu kommen«, erklärte ihr Manning. »Sie werden von automatischen Anlagen überwacht und verteidigt. Flugzeuge würden von Lasern heruntergeholt werden. Der Präsident kann in der Tiefe seinen Amtsgeschäften nachgehen, ist aber nur unten, wenn Alarm herrscht. Er mag die unterirdischen Anlagen nicht.«

Die Türen öffneten sich, und sie wurden von zwei Wachsoldaten in Empfang genommen, die sie zum Büro des Präsidenten führten. Miko war überrascht, wie anders jetzt alles wirkte. Sie blickte durch große Glasfenster auf dichtbewaldete Hügel. Eine ländliche Umgebung hatte sie als letztes erwartet. Dann fiel ihr Mannings Erklärung ein. Die Gegend war völlig abgeriegelt und unzugänglich. Das Büro selbst war auch eine Überraschung. Es sah mehr wie ein gemütlicher Raum einer Ski-Hütte und nicht wie die Kommandozentrale des Präsidenten aus. Am anderen Ende des weiten Raumes stand Präsident Hillary Church zu ihrer Begrüßung bereit. Links saß der Marineminister Frank Cartwright in einem Lehnstuhl. Er begrüßte sie mit einem Kopfnikken und einem Lächeln. Aus einem anderen Sessel erhob sich Vizeadmiral Timothy Haig.

»Jerry, ich kann Ihnen gar nicht sagen, wie aufgeregt wir gewesen sind. Und Miko, es ist gut, Sie wiederzusehen.«

Er gab den beiden die Hand und führte sie dann zum Präsidenten. »Herr Präsident, darf ich Ihnen Dr. Miko Stewart vorstellen. Sie wissen ja, welche Rolle sie in der ganzen Angelegenheit spielt.«

Church kam hinter seinem Schreibtisch hervor und ergriff sie an beiden Händen. »Dr. Stewart, ich freue mich sehr.«

Als sie sich gesetzt hatten, nickte ihnen der Präsident zu. »Es tut mir leid, nicht viel Zeit für Sie zu haben.« Er lächelte kurz. »Wir haben ein besonderes Problem.«

Haig strahlte geradezu, als er sagte: »Bei den Vereinten Nationen stehen die Zeichen anscheinend auf Sturm. Die Chinesen verlangen, an dem – äh – gewaltigen Erdölfund im südlichen Atlantik beteiligt zu werden.«

Manning schüttelte ungläubig den Kopf. »Es hat wirklich geklappt?«

»Wie geschmiert. Aber das steht jetzt hier nicht zur Debatte.« Haig blickte Cartwright an.

»Wir haben alles Material, das Sie über Satellit gesendet haben«, begann der Marineminister. »Wir drei sahen es uns an. Die Größe Ihrer Entdeckung kann gar nicht hoch genug eingeschätzt werden.« Er hustete, machte eine kurze Pause. »Ohne Zweifel werden wir uns mit allen Kräften bemühen, mit diesen Leuten Verbindung aufzunehmen und ihre Freunde zu werden. Das«, sagte er ernst, »liegt in den Händen der Besatzung und der Wissenschaftler der *Sea Trench*.«

Miko antwortete: »Sie wissen gar nicht, wie sehr Ihre Worte mich bewegen. Darf ich Sie etwas fragen?«

»Bitte sehr.«

»Wir werden doch mit den Organisationen zusammenarbeiten, die uns am besten bei unserer Arbeit helfen können, mit dem Ozeanographischen Institut zum Beispiel?«

Cartwright erklärte plötzlich sehr streng: »Nein, das geht überhaupt nicht.«

Miko machte kein Hehl aus ihrer Überraschung. »Warum denn nicht? Alle in Frage kommenden Wissenschaftler sollten bei dieser Aufgabe mithelfen.«

»Und dafür sorgen, daß diese Leute der Vernichtung anheimfallen«, sagte Cartwright mit fester Stimme. »So, wie wir bis jetzt jede ähnliche Gruppe von Menschen auf der Erdoberfläche vernichtet haben.«

Der Präsident bemerkte, wie bestürzt sie war, und schaltete sich rasch ein. »Ich fürchte, er hat recht, Dr. Stewart. Bitte, glauben Sie uns, daß wir den ganzen Komplex ausgiebig durchdacht haben. Die Wirklichkeit kann aber nicht einfach aufgehoben werden. Und wenn sich herumspricht, daß eine seltsame Menschenrasse entdeckt worden ist, und wir alle sehen sie ja als Menschen an, so wird jede bedeutendere Macht der Erde über diese Menschen herfallen. Sie können das Forschung, Wissenschaft oder was auch immer nennen, aber ihre Vernichtung wäre unvermeidlich. Es spielt keine Rolle, was irgend jemand entweder öffentlich oder privat dazu sagt. Wenn eine Regierung auf den Gedanken käme, daß diese Seeleute etwas besitzen, das ihr im internationalen Machtkampf einen Vorteil verschaffen würde, wäre das das Ende jener Unterwasserwelt. Möchten Sie die Verantwortung für eine solche Katastrophe übernehmen?«

Auf ihrem Gesicht malte sich Entsetzen, und der Präsident fuhr weniger scharf fort: »Dr. Stewart, Sie gehören zu der Gruppe von Menschenfreunden, die die Welt immer gebraucht hat. Sie haben Ihr Leben der Erhaltung intelligenten Lebens in den Meeren geweiht. Sie sind berühmt für die Kontakte, die Sie mit Walen aufgenommen haben. Und die zweite Form intelligenten Lebens, der Mensch, scheint jetzt von zerstörerischem Wahnsinn geschlagen zu sein. Wir haben uns die Bänder angehört, auf denen Ihre Gespräche aufgezeichnet sind, als Sie sich die Filme zum erstenmal angesehen haben, und dabei sind Sie auf diesen Punkt zu sprechen gekommen. Ich muß Sie jetzt fragen, wie erfolgreich Sie in Ihrem Bemühen waren, die Wale und die Seehunde zu retten?«

Darauf konnte sie nichts antworten.

»Wir haben einige wichtige Punkte, die sofort besprochen werden müssen«, sagte Präsident Church zur ganzen Gruppe. »Jerry, Sie und Dr. Stewart werden das, was ich zu sagen habe, als Befehl betrachten.«

Manning nickte. »Ja, Sir.«

»Selbstverständlich«, nickte auch Miko rasch.

»Admiral Haig wird weiterhin das Kommando führen«, fuhr der Präsident fort. »Das Projekt hat unter seiner Leitung den Anfang genommen, und er wird es auch weiter beaufsichtigen. Ich werde ihn voll und ganz unterstützen. Admiral?«

»Sie wissen, was das Wichtigste ist«, sagte Haig zu Manning und Miko Stewart. »Absolute Geheimhaltung. Wenn Sie von mir etwas brauchen, treten Sie über einen neuen Code mit mir in Verbindung, der inzwischen in die Computeranlage Neptun auf der *Sea Trench* eingespeichert wurde. Ihr Boot, Jerry, stellt jetzt ein unabhängiges Kommandozentrum dar, das wissenschaftliche Aufgaben zu erfüllen hat.«

Haig blickte zum Präsidenten, dann wieder auf Manning und Miko Stewart. »Das Zweitwichtigste ist nach der Geheimhaltung, daß auf der Basis beider Sprachen Verbindung aufgenommen wird. Ich wiederhole: Beide Sprachen müssen benutzt werden. Ein einseitiges Verstehenwollen kommt nicht in Frage. Von diesem Punkt hat alles andere auszugehen.«

Er wandte sich jetzt an Miko. »Ihr Mann Harold ist zweitausend Meter unter der Oberfläche bei einem freien Tauchversuch ums Leben gekommen. Auf welche Weise?«

Ihr gefiel die Frage nicht, und sie erwiderte kurzangebunden: »Technisches Versagen. Weshalb sprechen Sie jetzt davon?«

»Wie steht es um Ihr Projekt mit der Flüssigatmung? Um Ihr Bemühen, es Menschen möglich zu machen, Seewasser zu atmen und ihm den Sauerstoff direkt ohne äußere Geräte zu entnehmen?«

»Das ist auch gestorben«, sagte sie, »und der Grund war finanzielle Auszehrung.«

»Wenn Sie die Mittel hätten, könnten Sie dann ein Forschungsprogramm starten, wie man Seewasser nur mit Hilfe eingepflanzter bionischer Apparate atmen könnte?«

»Ganz bestimmt«, versetzte sie.

»Dann, Dr. Stewart, besteht Ihre Aufgabe genau darin. Wenn ich das Problem richtig verstanden habe, so ist das Auftauchen aus tiefem Wasser der kritische Punkt.«

»Das ist richtig«, bestätigte sie. »Wir verwendeten eine bionische Niere, die eingepflanzt oder äußerlich getragen werden konnte, um Unreinheiten des Blutes zu entfernen, wenn Wasser geatmet wurde. Aber wenn ein Mensch aus extremem Druck aufsteigt und das Wasser aus den Lungen entfernt, um den Innendruck rasch wiederherzustellen –«

Haig hob die Hand. »Glauben Sie, daß die Zusammenarbeit mit einer anderen Rasse, einer menschlichen Rasse, die seit Jahrtausenden Wasser atmet, die Schwierigkeiten beheben kann?«

16

Ihre Augen weiteten sich, als sie Haigs Worte auf sich wirken ließ. Er hatte an eine alte Wunde gerührt, aber der Schmerz war jetzt einer Hoffnung gewichen, die sie schon lange aufgegeben hatte. Sie flüsterte: »Mein Gott, Admiral, uns wären dann kaum noch Grenzen gesetzt.«

Sie war überrascht, als der Präsident sie ansprach. »Genau, Dr. Stewart. Ihr Programm könnte dazu führen, daß es uns möglich sein wird, im Meer wie auf dem Land zu leben. Ich weiß, daß das eine grobe Vereinfachung ist, aber die Lösung der Probleme liegt anscheinend in Reichweite. Und wenn wir Erfolg haben sollten, wäre das so, als hätten wir einige neue Planeten gefunden.«

Frank Cartwright schaltete sich in das Gespräch ein. »Kapitän Manning, ganz besonders werden wir Dr. Chadwick brauchen. Er ist einer der führenden Experten für die landwirtschaftliche Nutzung des Meeres. Er hat die Wissenschaft der Meereskultivierung mitbegründet.« Er schüttelte den Kopf und hustete, wischte sich mit einem Taschentuch über die Lippen und fuhr fort: »Bis jetzt ist die landwirtschaftliche Nutzung des Meeres leider ein Fehlschlag gewesen. Der widerliche kleine Krieg, den wir hatten, tötete nicht nur eine Milliarde Menschen, er hat auch die meisten landwirtschaftlichen Systeme der Welt vernichtet. Sie alle wissen, wie sehr wir versucht haben, den Verlust an bestellbarem Land durch Fischfang wettzumachen.«

»Ja, Sir«, sagte Manning und verblüffte alle durch seinen nächsten Satz: »Das Ganze wird nie klappen. So, wie wir es angepackt haben, jedenfalls nicht.«

Präsident Church beugte sich vor und erklärte: »Mit dieser Ansicht stehen Sie aber ziemlich allein.«

»Sir«, entgegnete Manning, »viele Leute sagen, daß es unwirtschaftlich ist, wenn die Landwirtschaft Rindfleisch zum Verzehr erzeugt. Das mag in gewisser Hinsicht stimmen, in anderer ist es recht ergiebig. Zum Beispiel sagen viele Kritiker, daß man zehn Tonnen Futter – oder Getreide, wenn Sie wollen – braucht, um eine Tonne Rindfleisch zu erzeugen.«

»Leider wahr«, sagte der Präsident knapp.

»Ja, Sir, aber das ist gar nicht unwirtschaftlich, wenn man es mit unseren Versuchen vergleicht, Tiere mit hohem Eiweißgehalt aus dem Meer zu gewinnen. Will man eine Tonne Fisch – wie zum Beispiel Thunfisch – erhalten, muß man etwa zehntausend Tonnen Meerespflanzen opfern. Deshalb wird es die großen Fischzüge, von denen wir sprechen, nicht geben. Die Vergeudung ist zu groß.«

Miko starrte Manning ungläubig an. Sie hatte keine Ahnung gehabt, daß er sich auf diesem Gebiet so gut auskannte. Sie beobachtete den Präsidenten, der über das Gesagte nachgrübelte.

Manning fuhr fort: »Da wäre noch viel zu sagen, aber ich glaube, das genügt zunächst, um einen Eindruck von der Schwierigkeit der Materie zu bekommen. Eine kleine Bevölkerung vermag vom Meer zu leben, aber wenn man mit Milliarden Menschen rechnet, kann es gar nicht funktionieren.«

Präsident Church sagte: »Wenn man es aber nun richtig anpackt, könnten wir nicht doch Erfolg haben?«

»Allerdings, Sir.«

»Das klingt schon ermutigender, Kapitän. Fahren Sie fort.«

»Dr. Chadwick arbeitet auf dem Gebiet der Meereskultivierung, die sich von den landläufigen Vorstellungen einer Unterwasserlandwirtschaft unterscheidet. Am wirkungsvollsten ist sie, wenn sie sich auf eine Reihe verschiedener Meerestiere stützt. Jede Gruppe ernährt sich von dem, was die Gruppe direkt unter ihr an Abfall erzeugt. Die Chinesen wenden dieses System an, und nur deshalb hatten sie keine großen Hungersnöte, obwohl sie gewaltige radioaktive Niederschläge über sich ergehen lassen mußten.«

Präsident Church wandte sich an Miko. »Haben Sie nicht – oder vielleicht war es dieses Mädchen Jessica – darauf hingewiesen, daß jene Seemenschen in Symbiose mit ihrer Umgebung leben, mit Tieren sowohl wie mit Pflanzen?«

»Ach ja«, sagte Miko rasch. »Jessie hat uns eigentlich richtig darauf aufmerksam gemacht. Sie hat ein äußerst feines Gefühl für solche Dinge.«

»Dann könnten diese Seemenschen auch auf diesem Gebiet unsere Lehrer sein?«

Manning nahm ihr die Antwort ab. »Und noch auf vielen anderen, Sir. Wir haben schon riesige Felder mit Wasserpflanzen gesehen, und wir haben keine Ahnung, was angebaut wurde. Dr. Chadwick war zugleich sprachlos und entzückt.«

Der Präsident schwieg und ließ sich das Gehörte durch den Kopf gehen.

Manning wandte sich an Haig. »Entschuldigen Sie, Admiral, aber kurz bevor wir das Boot verließen, stand Templeton ziemlich dicht davor, den Schlüssel zu der Sprache zu entdecken, die die Seemenschen benützen. Wir hörten sie nicht direkt sprechen, aber der Computer fing ein paar Gesprächsfetzen auf, die wir über unsere Hydrophone aufnahmen, als wir uns im Tal befanden. Templeton meint, daß sie aus all den Gründen, die Sie schon kennen, unsere Sprache verstehen. Templeton hat jedoch um weitere Informationen gebeten, die nur der Hauptcomputer hier in Washington hat. Hat man schon etwas herausgefunden?«

Haig verwies ihn an Cartwright.

Der alte Mann lachte leise. »Der junge Mann wird die Computerfachleute mit seinen Forschungen noch zum Wahnsinn treiben. Er hat die verrückte Idee, daß die Sprache der Seemenschen mit einer alten Indianersprache zusammenhängt. Mehr wissen wir bis jetzt nicht. Wenn wir bis zu Ihrer Abreise mehr herausbekommen, geben wir es Ihnen mit.«

»Ja, Sir. Wann werden wir abreisen?«

Cartwright blickte ihm in die Augen. »Sie und Dr. Stewart reisen in sechs Stunden.« Der alte Mann lachte. »Schauen Sie nicht so verblüfft. Hier warten noch Spezialisten auf Sie, die Sie in Spezialprojekte einweisen sollen. Wir sehen es für wichtig an, daß die Aufnahme von Beziehungen zu diesen Leuten so bald wie möglich geschieht. Es sieht so aus, als könnten wir die Hilfe der Seemenschen bald dringend brauchen, und ich rede nicht von unseren Ernährungsproblemen.«

»Ich verstehe nicht«, sagte Manning.

»Sie werden zum richtigen Zeitpunkt davon hören«, erklärte Cartwright. »Ich versichere Ihnen, daß es von der allergrößten Bedeutung für unser Volk ist.«

ZWEITES BUCH

17

Auszug aus dem historischen Bericht ›Unternehmen Aquarius‹, verfertigt von der Dokumentarabteilung der Marine der Vereinigten Staaten:

... Auf den Tag einen Monat nach dem schicksalhaften Treffen im Büro des Präsidenten starb der Marineminister Frank Cartwright. Zur gleichen Zeit nahmen Besatzung und Stab der *Sea Trench* erste Verbindung mit der Rasse im Meer auf, die als die Ikianer bekannt werden sollten.

Nach der ersten Berührung, die nur über Film wahrgenommen worden war, hatten die Seemenschen die Reaktion der anderen Rasse abgewartet, die aus einer Atmosphäre kam, die ihnen so dünn vorkommen mußte, wie uns die auf dem Mars erscheint.

Die Begegnung wurde langsam und vorsichtig eingeleitet, damit keine Seite irgendwelche Gefahren zu befürchten brauchte.

Ein glücklicher Umstand war, daß Kapitän Jerome M. Manning sowohl mit großer Disziplin als auch mit tiefem Einfühlungsvermögen begabt war. Er hielt es nämlich für wesentlich, die ganze Angelegenheit vom Standpunkt der Ikianer aus zu sehen, die sich zum erstenmal der ›anderen Rasse‹ gegenübersahen, von der sie wußten, daß sie kriegerisch, zerstörerisch und manchmal sogar grenzenlos grausam war. Die Begegnung mußte jedoch stattfinden, und zwar so reibungslos wie möglich. Es muß festgehalten werden, daß es unter den Regierenden der Ikianer einige gab, die die Anwesenheit der Amerikaner nicht schätzten. Einer mit Namen Hydrea war ganz und gar gegen die freundliche Aufnahme, die seine Kollegen den Fremden gewährten, und auf diesen Mann mußte ganz besonders Rücksicht genommen werden, denn die Gesellschaft der Ikianer kannte religiöse Prophezeiungen, daß eine Begegnung mit der Rasse, die auf der Erdoberfläche lebt, schlimme Folgen haben werde. Theologisch ein interessanter Punkt, denn die Seemenschen glauben, daß die Erdoberfläche ein schlimmer Ort ist, etwa dem entsprechend, was in christlicher Terminologie die Hölle genannt wird.

Aber selbst Hydrea gelang es trotz mächtiger Anklagen, die Ikianer würden gegen ihre heiligen Schriften verstoßen, nicht, das Unvermeidliche aufzuhalten. Als die *Sea Trench* in die Tiefen zurückkehrte, sah die Besatzung, daß man ihnen die Annäherung erleichtert hatte. Zwar war außerhalb der Kuppel keiner der Seemenschen zu sehen, aber man hatte eine lange Kette lebender Lichtkugeln ausgelegt, die zu einer ›lebendigen‹ Luftschleuse führten.

Kapitän Manning und seine Mannschaft hatten sich lange die Köpfe darüber zerbrochen, wie sie durch die dicke Kuppel gelangen könnten, ohne das große Tal der Gefahr auszusetzen, die der immense Druck außerhalb der grünen Schutzschicht darstellte. Die Ikianer hatten die Schwierigkeit selbst erkannt und während der Abwesenheit der *Sea Trench* einen riesigen Tunnel gebaut, der in die Kuppel hineinführte. Die Lichter am Meeresboden brachten das U-Boot direkt zu ihm, und es glitt mit äußerster Vorsicht in die Schleuse hinein. Dort blieb es eine Woche liegen, während die Kuppel erneuert und verstärkt wurde.

Die Besatzung des U-Bootes wußte, daß alles zum besten stand und daß sie willkommen war. Der Wasserdruck war gesunken, und einige der Seemenschen schwammen vor dem durchsichtigen Bug her und geleiteten das Boot in eine Gegend mit sanften Hügeln, wo am Boden des Tales eine Wanne ausgehoben worden war, in der das Boot abgestellt werden konnte. Wenn man auch zunächst nicht miteinander sprechen konnte, so verstand man sich doch auf der Grundlage von Intelligenz und gesundem Menschenverstand.

Kapitän Manning und sein Stab glaubten, daß nach sechzig Tagen die kritische Phase der ersten Kontaktaufnahme vorüber war. Wenn es auch Widerstand gab, so hatte der Rat der Alten unter seinem Führer Gella doch den Boden vorbereitet.

Die beiden Rassen waren sich keine Fremden mehr.

18

»Sie kommt mir fast wie ein neuer Mensch vor.« Miko schüttelte erstaunt den Kopf. »Ich weiß, ich rede Unsinn, Jerry, aber schau sie dir nur an. Ist das noch das gleiche sommersprossige Mädchen?«

Es stimmte. Jessica war zu einer jungen, schönen Frau geworden, und jetzt glich sie einer Wassernymphe so sehr, als sei sie im Meer auf die Welt gekommen.

Jerry Manning und Miko standen im gläsernen Bug. Jessica glitt zusammen mit einem junge Ikianer namens Arnom durch das kristallklare Wasser. Arnom bewegte sich mühelos und kraftvoll wie ein Delphin. Sein hübsches Gesicht zeigte ein warmes, freundliches Lächeln. Jessica schwamm ohne Tauchgerät durchs Wasser. Menschen können tauchen und die Luft anhalten, aber Jessica hielt sich jetzt schon über eine Stunde in dem sauberen Wasser des Tales auf, und sie litt keinen Mangel an Sauerstoff. Sie konnte sogar noch einen oder zwei Tage ohne Schwierigkeiten im Wasser bleiben. Ihre Haut, die normalerweise unter dem Salzwasser gelitten hätte, war mit einem Öl behandelt worden, das es im Tal gab. Es lag als unsichtbarer Film auf ihrem Körper und schützte ihn völlig vor dem Salzwasser.

Tatsache war, daß Jessica als erste der Gruppe chirurgisch verändert worden war und jetzt Wasser durch die Lungen bewegen, ihm Sauerstoff entnehmen und Stoffwechselprodukte abgeben konnte. Jessica war es gleichermaßen natürlich geworden, Luft oder Wasser zu atmen. Man hatte ihrer Lunge einen bionischen Apparat eingesetzt, und sie war nicht mehr auf Luft allein angewiesen. Das war nicht nur bequem, weil sie lange im Wasser bleiben konnte, sondern auch, weil sich beim Wechsel zur Luftatmung keine Probleme mehr einstellten, die auf den Druckunterschied zurückzuführen waren. Ihr Blut wurde nicht mehr von Stickstoffblasen durchsetzt, und sie konnte auch kein Opfer der Stickstoffvergiftung, des sogenannten Tiefenrausches, mehr werden. Jessica atmete keine Luft mehr und war im Wasser frei wie ein Fisch.

Mit der bionischen Apparatur in der Lunge war sie jedem Säugetier im Meer überlegen. Jedes Säugetier im Meer ist von gespeicherter Atemluft und einem veränderten Stoffwechsel abhängig. Die Ikianer waren die einzigen Säugelebewesen des Meeres, die Wasser und Luft atmen konnten, die den Sauerstoff nicht in Gasform brauchten.

Der bionische Apparat war natürlich nur eine mechanische Hilfe mit allen Nachteilen einer solchen. Früher oder später würde er repariert werden müssen. Außerdem mußte er von Zeit zu Zeit gewartet werden. Alle zweiundsiebzig Stunden mußten gewisse Filter ausgewechselt werden.

Doch jetzt genoß Jessica eine Freiheit, die kein Mensch vor ihr im Wasser je gehabt hatte, und wenn Miko und Manning nichts von dem Apparat gewußt hätten, wäre nur der Unterschied der Hautfarbe des Mädchens und des Jungens ein Zeichen dafür gewesen, daß dort die Vertreter zweier verschiedener Rassen zusammen schwammen.

Da war noch etwas, das Miko und Manning nicht entgehen konnte. Jessica und Arnom konnten sich unter Wasser unterhalten. Natürlich nicht so ungehindert wie in der Luft, da das Wasser achthundertmal dichter als Luft ist, aber doch ausreichend genug, und das Wasser konnte dem schönsten Klang, Jessicas entzücktem Lachen, nicht viel nehmen.

Die Hydrophone der *Sea Trench* nahmen das fröhliche Lachen auf und übertrugen es in den durchsichtigen Bug. Miko faßte plötzlich nach Mannings Hand, als ein tiefes Grollen, das Dröhnen eines riesigen Tieres, durch das Wasser drang.

Die beiden jungen Menschen wandten sich um, und das Mädchen rief furchtlos: »Arnom, schau!« Ihre Worte klangen ein wenig wie Gurgeln, waren aber zu verstehen.

Der Junge lachte. »Grektor«, rief er, »na lu, na lu!«

Miko und Manning sahen erstaunt, wie Jessica auf den Riesenaal zuschwamm, direkt auf das große Haupt mit den gewaltigen, messerscharfen Zähnen zu. Arnom hielt sich dicht bei ihr und schien selbst überrascht, wie gut sich das Mädchen mit dem todbringenden Kampffisch verstand. Die Amerikaner hatten schon bald begriffen, daß die großen Aale alles andere als Haustiere im Sinne der Erdmenschen waren. Seit unendlichen Zeiten bestand zwischen Unterwassermenschen und Aalen eine Beziehung; man arbeitete zusammen, und man konnte nicht sagen, wer eigentlich das höhere Wesen war.

Jessica setzte sich hinter dem Kopf auf den Leib des Aales, hielt sich an dem Erkennungszeichen fest, das er hinter dem Kopf trug, schrie ein Kommando, und der Aal schoß so schnell davon, daß Arnom keine Gelegenheit mehr hatte, das Tier auch zu besteigen. Arnom rief ihr etwas nach, aber Jessicas Lachen entfernte sich rasch. Der grünhäutige Jüngling sah von einer Verfolgung ab, ließ sich im Wasser treiben und wartete. Bald kam der Aal zurück, und Jessica saß ihm mit fließendem Haar so leicht auf dem Rükken, als ritte sie ein Pferd.

Der Aal blieb auf ein weiteres Kommando Jessicas fast abrupt stehen, und sie glitt herab, schwamm neben den Kopf und streichelte die Nase des Tieres. Das Maul öffnete sich weit, und Miko und Manning erschraken wieder ein wenig, als sie die wilden Zähne so dicht vor dem Mädchen sahen.

Selbst Arnom war beeindruckt, und sie sahen ihn kopfschüttelnd zu ihr schwimmen. Die beiden sprachen miteinander, und Jessica streckte die Hand aus und begann loszuschwimmen. Arnom war an ihrer Seite. Der Aal folgte ihnen, war er doch seit dem ersten Zusammentreffen mit Jessica immer in ihrer Nähe geblieben.

Miko sagte seufzend: »Es ist unheimlich mit ihr. Ich kann gar nicht fassen, wie selbstverständlich sich Jessie hier unten ausnimmt.« Sie sah Manning an. »Es ist so gut, daß sie bei uns ist. Wie sie sich dem Meer anpaßt, wie sie mit den Tieren umgeht, das spricht alles zu unseren Gunsten. Jerry, glaubst du, daß sie sie operieren werden?«

Manning nickte langsam. »Ich glaube schon. Der bionische Apparat ist nichts als ein Test. Und zwar wird nicht der Apparat getestet, sondern wir.«

»Wenn sie ihr Atemsystem dem ihren angleichen können –« Miko ließ den Satz in der Schwebe. Sie wußte, daß Manning mit der ärztlichen Kunst der Ikianer vertraut gemacht worden war. Sie würden in der Lage sein, Jessica so zu verändern, daß sie beinahe ständig im Meer leben und atmen konnte, ohne auf mechanische Hilfe angewiesen zu sein. Und wenn das geschehen war, würde es zwischen den beiden Rassen ein Band geben, das stärker als alle Regierungsabkommen sein würde.

»Ich habe irgendwie das Gefühl«, sagte Manning, »als sei unser kleines Mädchen endlich nach Hause gekommen. Als habe sie endlich etwas gefunden, das ihr wie ein Zuhause vorkommt.«

Miko lachte fröhlich. »Jerry, manchmal verblüffst du mich völlig. Weißt du, was du eben gesagt hast? Unser kleines Mädchen . . . du sprichst wie ein Vater.«

Sie bedauerte die Worte sofort, denn Manning starrte plötzlich düster vor sich hin. »Es ist lange her«, sagte er. »Sie hieß Dawn. Dort, wo sie lebten, sie und ihre Mutter, schlug eine Bombe ein.«

Miko sah ihn traurig an. Sie streichelte sein Gesicht. »Jerry, das konnte ich nicht wissen . . .«

Er legte ihr den Arm um die Schultern und zog sie an sich. Er sah ins Meer hinaus. »Ist schon gut, Miko. Manchmal überrascht es mich noch. Die Vergangenheit verbirgt sich gern und steht plötzlich wieder vor einem.«

Er zeigte hinaus. »Was jetzt zählt, ist das da draußen. Jessie ist unsere Hoffnung.«

»Glaubst du, sie und Arnom werden . . . ich meine . . .«

»Sich zusammentun?« Er nickte. »Ich glaube schon. Der Junge ist ganz verrückt nach ihr.«

Miko runzelte die Stirn. »Vielleicht geht alles ein bißchen zu rasch. Ich weiß, daß Hydrea es gar nicht gern sieht, daß die beiden zusammen sind.«

Manning schüttelte den Kopf. »Hydrea mag überhaupt keinen von uns. Wenn es nach ihm ginge, würde er uns und das Boot aus dem Tal schaffen lassen und dafür sorgen, daß wir nie zurückkommen. Der alte Mann sagt immerhin ehrlich, was er denkt, und wir müssen hier sehr vorsichtig sein. Ich habe darüber schon mit Gella gesprochen. Da er der Anführer des Ältestenrates ist, hat sein Wort das größte Gewicht. Nach den Regeln muß sich Hydrea dem beugen, was Gella beschließt. Nur wenn sich der gesamte Rat einstimmig gegen Gella erklärt, müßte er abtreten, und soviel ich gehört habe, ist so etwas noch nie geschehen. Sie wissen so gut wie wir, daß wir genetisch auf den gleichen Ursprung zurückgehen.«

Er schwieg und sagte dann: »Wir haben insofern Glück, als sie sich glücklich schätzen, daß wir und nicht die Chinesen oder Russen die Verbindung hergestellt haben. Sie wußten ziemlich gut, wie verschieden sich die einzelnen Nationen verhalten hätten, und sie wußten auch, daß ein Aufeinandertreffen unvermeidlich war. Es ist kein reines Vergnügen für sie –«

»Aber wir sind das kleinste Übel?« warf Miko ein.

»Hydrea meint«, sagte Manning und verzog das Gesicht, »das kleinste Übel sei schon schlimm genug. Es geht jedoch um mehr. Gella und fast der ganze Rat mit ihm wissen, daß sie sich in einer ähnlichen Lage wie wir auf der Oberfläche befinden, wenn auch die Gründe andere sind. Es geht um das alte Naturgesetz, daß man wachsen und sich entwickeln muß, wenn man nicht dem Rückschritt verfallen will. Die Leute hier fürchten, sie haben diesen Punkt erreicht. Ich glaube, sie wissen, daß wir uns gegenseitig gleich viel bedeuten.«

»Und bis jetzt haben wir ihnen kaum geholfen, was?«

Manning sah sie an. »Wir?«

»Ach, ich meine nicht uns persönlich, auch keine bestimmte Nation. Ich spreche von der ganzen Menschheit. Unsere Kriege, die radioaktiven Stoffe, die wir ins Meer gekippt haben. Die Umweltverschmutzung, die Ausrottung einer Art nach der anderen.«

Er machte ein mißmutiges Gesicht. »Meistens widerspreche ich dir an diesem Punkt, aber jetzt kann ich es nicht. Ich muß dir zustimmen. Vor einiger Zeit unterhielt ich mich mit Gella. Hydrea war ebenfalls anwesend, und sie sprachen etwas ausweichend von einer Gefahr, die ihnen hier unten droht. Ein natürlicher Feind, der ihnen seit Urzeiten nachstellt, hat kürzlich eine Mutation durchgemacht.«

»Mutation? Das klingt nach Schwierigkeiten«, bemerkte Miko.

»Allerdings. Es hat mit den radioaktiven Abfallstoffen angefangen«, erklärte Manning. »Was auch dieses Teufelszeug sein mag, es ist eine primitive, aber äußerst anpassungsfähige Lebensform, mit der die Ikianer immer zurechtgekommen sind. Sozusagen Wölfe, die ums Haus schleichen. Die mutierte Form ist jetzt aber wesentlich gefährlicher und –«

»Und die Wölfe kommen jetzt durch die Kuppel?«

»So ungefähr«, bestätigte Manning. »Es ist gefährlicher als je zuvor und mutiert anscheinend mit rasender Geschwindigkeit weiter.«

Sie überlegte eine Weile. »Es hat etwas mit Hydrea zu tun. Er gibt uns die Schuld daran, nicht wahr?«

»Den Menschen auf der Oberfläche«, sagte Manning. »Den Bösen. Und er hat recht, verdammt noch mal. Ich würde –«

Eine Glocke ertönte.

»Das sind Matthews und Castillo im Druckraum«, sagte Manning. »Gehen wir hinunter.«

Sie stiegen durch einen langen Gang, stiegen eine Leiter hinunter und erreichten durch eine Schleuse die Druckausgleichskammer. Sie traten an eine runde Öffnung im Boden. Plötzlich geriet das Wasser in Bewegung, und Matthews erschien auf der Leiter. Kaum hatte er die Kammer betreten, kam hinter ihm auch Castillo in Sicht.

Die beiden Männer hatten Flossen an den Füßen und trugen bunte Taucheranzüge. Sie hatten Atemgeräte auf dem Rücken, die allerdings weniger raffiniert als der Apparat waren, den man Jessica eingepflanzt hatte. Von den Geräten führten schlanke Schläuche in die Helme.

Matthews nahm den Helm ab und sah mit einem schiefen Grinsen zu Manning auf. »Ich werde, glaube ich, alt. Diese Druckunterschiede machen mir zu schaffen.« Er zeigte auf Castillo. »Und der da redet Tag und Nacht von nichts anderem, als auch so ein Ding wie Jessica in den Bauch zu bekommen.«

Castillo hatte den Helm auch abgenommen und nickte eifrig. »Genau. Der blöde Helm geht mir auf die Nerven.«

»Lange mußt du ihn nicht mehr tragen«, sagte Milo. »Die Ikianer sind davon überzeugt, daß Jessie mit dem eingepflanzten Gerät so gut zurechtkommt, daß bei jedem von uns die Operation vorgenommen werden kann.«

Castillo strahlte sie an. »Wirklich? Ich kann bestimmt zu reiner

Wasseratmung übergehen?«

»Wann du willst.«

»He, das wird großartig!«

Manning wechselte das Thema. »Was haben Sie herausbekommen?« fragte er Matthews.

Matthews deutete auf die Tür hinter ihnen. »Wollen Sie mit mir zusammen den Druckausgleich abwarten?«

»Klar.«

»Ist es in Ordnung, wenn ich noch einmal hinausgehe?« fragte Castillo. »Jessie und Arnom wollen mich in eines der vulkanischen Gebiete mitnehmen. Ich möchte es mir genau ansehen.«

»Nur zu«, sagte Manning.

Miko schraubte ihm den Helm an und überprüfte rasch die Geräte. Sie klopfte ihm auf die Schulter und nickte. Castillo grinste, stieg ins Wasser und war hinter einem Vorhang von Luftblasen verschwunden.

Die anderen gingen in die Kammer, verriegelten die Luke und machten es sich bequem, während Matthews sich langsam an den Druck im Boot gewöhnte, nachdem er einige Stunden unter höherem gearbeitet hatte.

Miko trat an einen kleinen Schrank und brachte Matthews eine Tasse mit einem dampfenden Getränk.

»Ah, danke.« Er schlürfte es langsam, nickte Manning zu und begann zu sprechen. »Nun, es gibt keinen Zweifel. Ich kann ihre Sprache sprechen. Nicht nur gebrochen, wie am Anfang. Ich bekomme jetzt die Feinheiten mit. Der Templeton kann einem manchmal auf die Nerven gehen, aber als Linguist ist er Klasse. Und woher er weiß, daß meine Familie reines Indianerblut hat und ich sogar den Dialekt noch ein bißchen reden kann, ist mir ein Rätsel.«

Manning nickte. »Der Computer weiß es.«

»Ach so. Ich vergesse manchmal, daß man alles über mich hat.«

»Und was ist draußen passiert?«

Matthews holte tief Luft. »Nun, Templeton will, daß ich die Sprache richtig lerne. Mein Indianisch hilft mir dabei. Es gibt gewisse Übereinstimmungen. Ein Glück, daß beide Seiten englisch reden. Mich verblüfft immer noch, wie fließend sie es beherrschen. Andererseits stießen sie vor zehn Jahren auf ein Schiff, aus dem nicht alle Luft entwichen war. Und in dem fanden sie alle möglichen Apparate. Die sind ja sehr schlau und hatten mit Hilfe anderer Schiffe schon herausbekommen, was elektrischer Strom ist. Sie brachten die Sachen in ihre luftgefüllten Höhlen, darunter waren auch Tonbandgeräte und Filme. Sie haben alles zum Funktionieren gebracht.«

»Sie konnten uns also wirklich sprechen hören«, nickte Manning.

»Mehr als nur das«, sagte Matthews. »Sie konnten uns auch sehen. Wie wir uns verhalten, wie wir uns kleiden und so weiter. Sie benutzten zuerst Batterien, die sie gefunden hatten. Später lernten sie auch, mit den Generatoren umzugehen.«

»Matt, ich habe eine Frage«, sagte Manning plötzlich. »Von all dem Technischen einmal abgesehen, möchte ich wissen, was diese Leute von uns halten, was sie ganz tief in ihrem Inneren empfinden.«

»Nun, nicht das Beste.«

»Der letzte Krieg?«

»Nein, alle Kriege. Und das ist schließlich verständlich. Ich kann ihren Standpunkt jetzt begreifen. Wenn wir mit ihren Augen sehen, was wir gemacht haben, müßten wir dann nicht auch den Argwohn hegen, die ganze Rasse auf der Oberfläche sei vom Wahnsinn geschlagen?«

»Dagegen ist kaum etwas zu sagen«, meinte Miko.

»Denken sie wirklich so über uns?« wollte Manning wissen.

»Nicht alle«, erwiderte Matthews. »Gella ist eine verständnisvolle Seele von einem Menschen. Hydrea dagegen hält sich strikt an die alten Schriften, die vor menschenähnlichen Geschöpfen der Oberfläche warnen. Der springende Punkt ist, daß er daran glaubt. Zu bedenken ist auch, daß Religion für sie bedeutet, im Einklang mit der Natur zu leben, und das war in der Vergangenheit so und wird auch für die Zukunft gelten. Wenn es zu einer Abstimmung käme, würden Gella und seine Leute den Sieg davontragen, doch Hydrea ist in seinem Denken nicht allein.«

Manning ließ sich das Gesagte durch den Kopf gehen. »Was

geschähe, wenn Hydrea die Macht hätte?«

Matthews lachte trocken. »Man würde uns ohne Umschweife mitteilen, daß wir hier nicht gern gesehen sind, daß wir so rasch wie möglich zu verschwinden hätten.«

»Glauben sie, daß wir das tun würden?«

»Da liegt der Hase im Pfeffer. Nicht einmal Gella möchte es darauf ankommen lassen. Wenn sie sich unsere Geschichte und unsere Mätzchen auf der Oberfläche ansehen, müßten sie eigentlich daran zweifeln.«

Miko sagte erschrocken: »Mit anderen Worten, sie fürchten, daß wir die Rolle des Unterdrückers spielen könnten.«

»Genau«, erklärte Matthews. »Die Möglichkeit ist bei uns immer gegeben, und ihnen ist das nicht entgangen. Laßt euch aber von mir nicht in die Irre führen. Vieles von dem, was ich gesagt habe, sind Vermutungen, aber genau die wolltet ihr ja hören. Ich kann mich in manchen Dingen auch täuschen. Gella und die meisten Leute seiner Umgebung sind ehrlich und warmherzig, und sie wünschen nichts lieber als ein offenes Verhältnis mit uns. Auf jeden Fall ist etwas in Bewegung geraten.«

»Noch etwas, Matt«, sagte Manning langsam. »Was schlagen Sie vor? Wie sollen wir uns verhalten?«

Matthews sah ihm in die Augen. »Ehrlich, ganz und gar ehrlich. Sie erkennen an, daß wir bis jetzt ehrlich gewesen sind.« Er stand auf. »Ich bin jetzt soweit. Ich muß in meine Kabine. Hab' was zu tun.« Er fuhr sich über die Bartstoppeln. »Ich habe nie geglaubt, daß der Tag kommen würde, an dem ich mich in zwölftausend Meter Tiefe rasiere, weil ich zu einem Abendessen gehe.«

Manning sagte überrascht: »Abendessen? Sie? Rasieren?«

»Sie beide sind auch eingeladen. Wir sollen an den Köstlichkeiten der Tiefe teilhaben, und zwar mit niemand anderem als Gella.« Matthews blickte sie stolz an. »Das ist das erste Mal, Kapitän. Gella wird eine Menge wichtiger Leute bei sich haben.«

»Aber wo?« fragte Miko.

»In einer luftgefüllten Höhle. Sie können sich gar nicht vorstellen, wie so eine Höhle aussieht. Ich sage lieber erst gar nichts. Ich möchte euch nicht das Vergnügen vorwegnehmen.«

»Wann, Sie Spaßvogel?« brummte Manning. »Um wieviel Uhr?«

Matthews schaute auf die Uhr an der Wand. »In zwei Stunden.«

Er ging zur Luke, blieb stehen und sah Miko fragend an. »Miko, eins möchte ich noch wissen. Mir ist es eben erst eingefallen. Die Leute hier haben nie die Sterne, die Sonne oder den Mond gesehen. Die Umdrehung der Erde kann für sie keine Bedeutung haben. Und Ebbe und Flut sind hier unten nicht zu spüren. Wieso haben die ein System der Zeitmessung entwickeln können?«

Miko strahlte ihn an. »Die Macht der Frau, Matt«, antwortete sie.

Er starrte sie an.

»Wenn man in der Finsternis lebt, kann man sich nur auf eine einzige Sache verlassen.«

Matthews und Manning waren verwirrt und zeigten es auch.

Sie sah die beiden an. »Die Welt hier unten ist auf die Wirklichkeit der Frauen abgestellt. Sie haben zum erstenmal die Zeit gemessen und tun das immer noch, und zwar auf Grund des Menstruationszyklus.« Sie schwieg, genoß den Augenblick. »Deshalb hat der Kalender der Ikianer dreizehn Monate pro Jahr. Unglaublich, was? Dreizehn Monate in einem Jahr von 364 Tagen, das fast identisch mit unserem Jahr ist.«

19

Sie schwammen langsam durch Wasser, in dem helle Lichtreflexe wogten, da vor ihnen und neben ihnen leuchtende Lebewesen mitgeführt wurden. Das große Tal glühte. Sie hatten Flossen an den Füßen und bewegten sich etwa hundertfünfzig Meter über dem Grund mühelos vorwärts. Matthews zeigte den Weg. Ihm folgten Manning mit Miko an der Seite, dahinter Dr. Simmons und Syd Prentiss. Matthews wurde von einem Ikianer begleitet, den sie nicht kannten, der aber offensichtlich mit ihm Freundschaft geschlossen hatte. Einige weitere Ikianer bildeten offenbar eine Art Begleitmannschaft, hielten aber einen gewissen Abstand ein.

Unter ihnen erstreckten sich Felder in alle Richtungen. Zwischen diesen standen Leuchtpflanzen, die helles Ultraviolett ausstrahlten und so die Sonne ersetzten.

Die Besucher mußten sich dem Umstand anpassen, daß nichts stillzustehen schien. Im Luftozean auf der Oberfläche bewegen sich zwar Wolken, doch Berge und Wälder stehen ruhig in der Landschaft, und die Vögel sind nur kleine, ruhelose Pünktchen, während die Tiere durch die Schwerkaft an den Boden gefesselt sind. Im großen Tal war alles anders. Immer schwankte und bewegte sich dort etwas. Riesige Fischschwärme, glitzernden Vorhängen gleich, wurden von den Ikianern zusammengetrieben und wie Herden weiterbewegt. Wie das die Menschen in Zusammenarbeit mit den großen Aalen zuwege brachten, war noch ein Geheimnis, doch heute bei dem Abendessen würde es vielleicht Gelegenheit geben, Mauern abzubauen.

Sie schwammen etwa dreißig oder vierzig Minuten über Felder hin, über verworrene Felsformationen dann, die vulkanischen Ursprungs waren, und schließlich über Gebäude, in denen industriell gearbeitet wurde. Lange röhrenförmige Bauwerke und Kuppeln warfen Fragen auf, die bei passender Gelegenheit beantwortet werden würden.

Der Führer neben Matthews gab Zeichen, daß man anfangen müsse, hinunterzuschwimmen. Langsam taten sie das, bis vor ihnen die ersten Hügel aufragten. Ihr Führer brachte sie um eine zerklüftete Formation herum.

Vor ihnen erhob sich eine Felswand, die von den Ikianern bearbeitet und umgeformt worden war. Es gab prächtige Terrassen, Balkone und Rampen, und fast alle Flächen waren von gepflegten Blumen und seltsam geformten Pflanzen überzogen, die sich sanft in der Strömung wiegten.

Sie folgten ihrem Führer hinunter zu einem großen, leuchtenden Bogen aus glänzendem Gestein. Sie wußten, daß winzige Leuchtorganismen dazu verwendet wurden, die Oberfläche des Gesteins zum Glühen zu bringen. Als sie sich dem Bogen näherten, sahen sie, daß er mit köstlichen, klassisch anmutenden Reliefs geschmückt war, die in schöner Klarheit bekannte und unbekannte Geschöpfe des Meeres darstellten.

Sie schwammen langsam durch das Tor in einen weiten, gewölbten Gang, dessen Wände sanft leuchteten. Sie sahen jetzt, daß das Licht aus dem Gestein hervorleuchtete.

Am Ende des langen Ganges befand sich ein festes, versenktes Tor, mit dem der Gang dicht abgeschlossen werden konnte. Die Räume dahinter waren dann vom Tal aus nicht mehr zugänglich. Manning konnte sich nicht denken, warum eine solche Einrichtung nötig war, und schwamm nach einem kurzen Blick weiter.

Das Licht über ihnen wurde heller, und der Boden des Ganges stieg an, ging in Treppenstufen über, die oben aus dem Wasser herausführten. Sie erreichten eine hohe, luftgefüllte Halle, deren Wände aus Marmor und Perlmutt zu bestehen schienen.

Sie wurden von mehreren Ikianern erwartet, die ihnen die Atemgeräte, die Helme und die Flossen abnahmen und alles in Fächer legten, die in die Wände eingelassen waren. Bald darauf trat ein weiterer Ikianer ein, und sie begrüßten in ihm Gella, den Führer des Tales.

Zum erstenmal erblickten sie Gella in Zeremonialgewändern. Sie wußten noch immer nicht, woraus das leichte, glänzende Gewebe bestand, das sich an seinen kräftigen Körper so weich anschmiegte. Sie konnten auch nie vorhersagen, wie sich ein Mann, eine Frau oder ein Kind der Ikianer kleiden würde, da sie ebenso oft ganz nackt im Wasser zu finden waren. Ihre Körper schienen sich in der Wassertemperatur wohl zu fühlen, und ihrer Haut konnte das Salzwasser nichts anhaben, und daher waren die Gewänder nur bei bestimmten Arbeiten oder zu gewissen Anlässen nötig. In einer Welt, in der man in Symbiose mit der Umwelt lebte, gab es keine falsche Scham, und die Amerikaner hatten glücklicherweise jeden Missionarseifer zu Hause gelassen.

Gella kam ihnen langsam entgegen, geschmeidig und auch stolz. Er lächelte Manning freundlich an und legte ihm beide Hände auf die Schultern.

»Gut ist es, Sie willkommen zu heißen, Manning Kapitän, wie Sie in Ihrer Sprache sagen. Ihr Besuch erfüllt uns mit Stolz.«

Er wandte sich den anderen zu und fuhr fort: »Es ist – ich versuche, mich an Ihre geschriebenen Worte zu erinnern, es ist schön, Sie hier zu haben.«

Matthews ging auf den Führer der Ikianer zu und sagte: »Gratum, naya harn chibra. Lu sengri, ahn mayanet son?«

Gella warf den Kopf zurück und lachte herzlich. Er klopfte Matthews auf die Schulter und sah wieder Manning und die anderen an.

»Er fragt«, sagte Gella mit einem Augenzwinkern, »ob ich eure Sprache besser spreche als er unsere. Die Antwort muß ja heißen. Er macht es sehr gut, aber wir sprechen eure Sprache schon seit mehr als . . . zehn?«

Matthews nickte ihm aufmunternd zu.

»Ah, seit mehr als zehn eurer Jahre also«, sagte Gella. »Und Sie werden mir meine Fehler nicht übelnehmen. Bitte, alle mit mir kommen.«

Er führte sie durch einen gewölbten Gang in einen prächtig verzierten hohen Saal. In die Wände waren Behälter eingelassen, in denen sich die herrlichsten Leuchtfische befanden. In der Mitte stand ein großer ovaler Tisch, der mit Sesseln umstellt war, in denen man sich sofort wohl fühlte. Die Amerikaner wurden auf eine Seite des Tisches geführt, und die Ikianer nahmen ihnen gegenüber Platz. An einem Ende des Tisches blieben zwei Sitze leer.

Miko riß plötzlich die Augen auf und wollte sich aus ihrem Sessel erheben.

Matthews bedeutete ihr, zu bleiben, wo sie war. »Nur keine Angst, auch wenn sich der Sessel unter Ihnen zu bewegen scheint. Das ist in Ordnung«, erklärte er ihr wie dem Rest der Gruppe. »Der Sitz ist lebendig. Wirklich. Eine Art Schwamm, der genetisch verändert wurde. Er spürt die Wärme und das Gewicht des auf ihm sitzenden Körpers und paßt sich ihm völlig an. Entspannen Sie sich nur, der Sitz wird sich um Sie kümmern.«

Sie mußten lachen, und die anfängliche Förmlichkeit legte sich bald. Einige Minuten überließ man sich einer Unterhaltung, bei der man nicht zuviel Gewicht auf Korrektheit der Sprachen legte, und dann betraten auf einen Wink Gellas einige Ikianer den Saal und servierten unbekannte Speisen. Danach stellte eine junge

Frau sehr feierlich zwei Pokale vor jeden Anwesenden. Gella richtete sich in seinem Sessel auf und bemühte sich deutlich, keine Fehler in der Sprache der anderen zu machen.

»Ich bin Gella«, sagte er langsam, »und meine Leute, die ihr als Ikianer kennt, haben mich zu ihrem –« Er stockte plötzlich und wandte sich an Matthews. »Ich muß Sie, mein Freund, zu helfen bitten. Ich bemühe mich, aber ich bin nicht sicher.«

Gella wandte sich an die anderen. »Er kennt unsere Worte, er kann unsere Gedanken mit Worten füllen.« Er nickte Matthews zu.

»Die Menschen des großen Tales«, sagte Matthews ebenso ernst wie Gella, »deren Namen wir am besten mit Amphibier übersetzen würden, werden vom Rat der Ältesten regiert; besser kann man es auf Englisch nicht ausdrücken. Gella spricht im Namen des Rates, obwohl dort alle den gleichen Rang einnehmen. Man hat ihn beauftragt, für die anderen zu sprechen, als einer, der ihre Gedanken und Gefühle ausdrückt.«

Matthews schwieg, um seine Gedanken zu ordnen, und fuhr dann fort: »Wie wir, so haben sie auch unterschiedliche Ansichten. Er möchte uns jetzt jedoch versichern, daß im Augenblick Einstimmigkeit herrscht. Wenn wir jetzt ihre Aufmerksamkeit für einige Augenblicke in Anspruch nehmen dürfen?«

Er warf einen Blick auf Gella, und der Ikianer nickte. »Die Zeit ist gut.«

»Ja«, sagte Matthews.

Gella winkte die Frau an seine Seite. Sie begriffen, daß es sich um Gellas Lebensgefährtin handelte, eine schöne Frau, deren Haut ein wenig anders als die der Männer gefärbt war. Sie trug ein glänzendes Stirnband und eine leuchtende Kette, die über die vollen Brüste hing. Sie verließ den Raum und kam bald mit einer Flasche in der einen und einem seltsamen Gefäß in der anderen Hand zurück. Sie stellte beide vor Gella auf den Tisch und ließ sich wieder nieder.

»Gella und ich haben das zusammen eingefädelt«, teilte Matthews der Gruppe mit. »Ich habe eine Flasche unseres besten Weines mitgebracht, und Gella hat den Inhalt des Gefäßes selbst ausgesucht, damit er unserer Gabe entspricht. Ein Wein der

Ikianer.«

Gella gab Miko das Gefäß, und seine Gefährtin nahm die Flasche in Empfang. Auf einen Wink schenkten sie die Pokale ein.

Gella nahm einen und hielt ihn in die Höhe.

»Matthews hat mir gesagt, wie ich es tun muß. Ein guter Brauch. Zwei Menschenrassen vereinigen sich jetzt.«

Sie nippten an dem grünen Wein.

»Herrlich«, sagte Prentiss leise.

»Allerdings«, sagte Matthews. »Und wer würde ahnen, daß es sich um vergorene Seegurke handelt?«

Man ergriff die anderen Pokale und hielt den roten Wein in die Höhe. Manning blickte Gella an und sagte: »Auf euer Volk und auf unseres! Lange haben wir auf diesen Augenblick gewartet.«

Sie tranken und stellten die Becher auf den Tisch zurück. Gella hob die Rechte. »Manning Kapitän, bevor wir –«

»Zusammen das Brot brechen«, sagte Matthews.

»Ah, danke«, antwortete Gella. »Bevor wir das tun, möchten wir etwas austauschen. Es ist sehr wichtig, und wir möchten niemanden beleidigen.« Er holte tief Luft. »Matthews hat mir euren Brauch der Ehe erklärt, was Ehegatte bedeutet. Das Wort, das unserem am nächsten kommt, ist Lebensgefährte. Bei uns müssen die jungen Leute niemanden fragen, wenn sie Lebensgefährten werden wollen. Jetzt ist wieder so etwas geschehen, und es ist zugleich neu und alt. Da unsere Rassen erst jetzt zusammenkommen, müssen wir es besprechen.«

Er suchte nach Worten und wandte sich wieder an Matthews.

»Ich habe Gella erklärt«, sagte dieser, »was wir unter volljährig verstehen, aber bei ihnen gibt es auch diesen Begriff nicht, und –«

Miko konnte nicht länger schweigen. Mit leuchtenden Augen unterbrach sie ihn: »Es geht um Jessica, nicht wahr?«

Matthews lächelte und nickte. »Ja.«

»Wo ist sie denn? Ich meine –«

Ihr verwirrter und erregter Ausbruch rief Gelächter hervor. Matthews gab ihr mit einer Handbewegung zu verstehen, sie solle sich gedulden. »Nur noch ein paar Minuten, Miko.«

Matthews nickte. Gella gab einem Mann aus seinem Gefolge

ein Zeichen. Der verließ den Saal und kam gleich darauf mit Jessica und Arnom zurück.

Jetzt gab es keine Fragen mehr. Wie die beiden sich an den Händen hielten, die gewisse Scheu in ihrem Blick, ihr Gesichtsausdruck, all das sprach eine deutliche Sprache. Beide trugen dünne Ketten um den Hals, an denen herrlich funkelnde blaue Steine hingen. Jessica lächelte ihre Freunde am Tisch zaghaft an.

Manning sagte in das Schweigen hinein: »Jessie . . .«

»Ja, Sir?« Ihre Stimme war kaum zu hören, und man sah, wie sie Arnoms Hand fester faßte.

»Ich nehme an«, fuhr Manning langsam fort, »ich sollte jetzt so etwas wie eine Rede halten, aber ich brauche euch nicht erst zu fragen, was das zu bedeuten hat. Außerdem freue ich mich so sehr für dich, daß ich es mit Worten gar nicht sagen kann.«

Jessica schmiegte sich an Arnom. Tränen glänzten in ihren Augen. »Danke«, flüsterte sie. »Zum erstenmal in meinem Leben habe ich das Gefühl, zu Hause zu sein.«

Manning nahm den Pokal mit dem Wein der Ikianer. »Dann trinken wir auf dein Glück mit Arnom, Jessie.«

Sie erhoben ihre Becher.

Die Vereinigung hatte begonnen.

20

Das junge Paar zog sich in seine eigene Welt zurück. Für Jessica war es, als lebe sie auf einem anderen Planeten, und trotzdem hatten ihre Worte bei der Feier genau ausgedrückt, was sie fühlte.

Jetzt galt es, in ihrer neuen Welt ein Heim zu finden und einzurichten. Jessica wollte nicht in einer der Wohnungen leben, die in die Felsen geschlagen waren, sondern hatte ein Auge auf eines der kleinen Häuser geworfen, die ein paar Kilometer von den Felsen entfernt zwischen sanften Hügeln verstreut lagen. Arnom war einverstanden.

Ungefähr drei Kilometer von den Hauptgebäuden der Ikianer

entfernt reihten sich kleine Hügel und runde Kuppen, die von üppiger Vegetation überzogen waren. Viele junge Paare des Tales hatten sich hier schon angesiedelt, und sie und Arnom hatten sich entschlossen, es ihnen gleichzutun. Sie würden sich in ihr eigenes Häuschen zurückziehen und trotzdem jederzeit die Gesellschaft Gleichaltriger aufsuchen können.

Das Haus überraschte und entzückte sie. Die Möbel waren sehr einfach: Stühle, Liegen, Betten aus dem gleichen lebenden Material wie die Sessel in der Festhalle. Das Haus hatte keine Fenster, denn der untere Teil war immer mit Wasser gefüllt, während die obere Hälfte unter Druck stand, mit Luft gefüllt und trocken und gemütlich war. Oben befanden sich Wohnraum, Schlafraum und Badezimmer. Das Bad stellte wieder eine Lektion dar, wie man ökologisch richtig leben kann. Die Ikianer leiteten ihre Abwässer nicht einfach in die Umwelt ab. In den Häusern fand Jessica keine Rohrleitungen.

Die Antwort hieß wieder Symbiose. Die Ikianer waren so hoch entwickelt, daß sie zur Abfall- und Abwässerbeseitigung Bakterien einsetzten, die alle Stoffe bis zur Unschädlichkeit zersetzten.

In dem kleinen Haus gab es keine elektrischen Anlagen, und das bedingte die größte Umstellung, der sich Jessica gegenübersah. Dennoch waren die Räume voller Licht, glühten die Wände, fanden sich lebende Leuchtkugeln im nassen wie im trockenen Bereich des Hauses.

Was das Kochen betraf, mußte sie auch völlig umlernen. Die meisten Speisen stammten von den ausgedehnten Äckern des Tales oder von wildwachsenden Pflanzen, und an Fisch oder Hummer war kein Mangel. Sie fragte sich, wie man ohne Feuer oder Elektrizität kochen könne, aber Arnom hatte es ihr schon gezeigt, bevor sie die Frage noch aussprechen konnte. Er führte ihr Behälter vor, in die verschiedene Chemikalien gegeben wurden. Man verschloß den Behälter einfach, und binnen Minuten war er glühend heiß. Man konnte ihn auch auf mittlere Temperaturen einstellen oder die Speisen sanft köcheln lassen.

Ob die Menschen nun grünliche Haut oder bräunliche haben, eine vergnügliche Zeit wünschen sie sich alle. Eine Gewohnheit der Oberfläche fehlte natürlich unter Wasser völlig. Kein Ikianer rauchte. Sie kannten jedoch wohl Substanzen, die rauschähnliche Zustände hervorriefen. Sie bereiteten sich Weine aus einer Reihe fermentierter Pflanzen zu, und sie kannten auch andere Getränke, die noch tiefer auf die Sinne wirkten.

Junge Frauen kamen herbei und entführten Jessica, um mit ihr die neuen Gewänder und die Schmuckstücke zu ordnen. Es gab so viel zu lernen. Die Stoffe bestanden aus Pflanzenfasern, waren von Hand gewebt und zusammengenäht worden.

Das Leben besteht nicht nur aus Schwimmen, Haushalt, Gartenbau und Versorgen der Tiere. Arnom war jung und gescheit und war vom Rat dazu ausersehen, Wissenschaft, Technologie, Energieerzeugung und Maschinenwesen der Welt auf der Oberfläche zu studieren, um festzustellen, was sich für die Ikianer übernehmen ließe. Dabei half ihm natürlich Jessica, denn wenn er bei der Zusammenarbeit mit der Besatzung der *Sea Trench* etwas nicht verstand, konnte ihm Jessica zu Hause ein wenig unter die Arme greifen. Beide wurden so zu Bindegliedern zwischen den zwei Rassen, und man freute sich allgemein über die glückhafte Fügung.

Hoch oben auf dem Land hing ein düsterer Abendhimmel über der Erde. Dunkle Wolken schoben sich vorwärts, und der Regen wurde stärker. Blitze zuckten durch die Finsternis. Marineminister Timothy Haig und sein Adjutant Kapitän Arnold Switek standen bewegungslos am Grab Frank Cartwrights.

Haig starrte auf den Stein und sagte: »Franks Tod war als Preis für das Amt zu hoch.«

Switek sagte: »Das kann man nicht sagen, Admiral. Sie wußten, daß Sie sein Nachfolger werden würden. Wir alle wußten, daß er todkrank war. Und wie er trotz seiner Schmerzen die Arbeit noch erledigte –«

Haig blickte auf. »Ich weiß, Arnie. Mir wäre es nur lieb gewesen, wenn er noch erlebt hätte, was für wunderbare Dinge in der Nähe der Aleüten, im Ritter-Graben geschehen.« Er überlegte und fuhr fort: »Ich bin froh, daß Jerry das getan hat. Ritter war ein guter Mann.«

Er drehte sich um und ging den schwach beleuchteten Weg entlang. Haig blieb noch einmal stehen, um dem verstorbenen Freund in Gedanken ein letztes Adieu zuzurufen. Die beiden Männer gingen weiter.

Nach einer Weile begann Haig zu sprechen: »Arnie, ich glaube, wir müssen Morgan hinunterschicken.«

Switek fragte: »In den Graben?«

Haig nickte. »Er kann sich mit Manning im U-Boot treffen. Es geht nicht anders.«

»Sieht es wirklich so schlimm aus, Sir?«

»Heute nachmittag haben wir die Bestätigung erhalten. Wenn wir das, was die Chinesen eingefädelt haben, nicht aus der Welt schaffen, steckt unser Hals in der Schlinge.« Er blieb stehen, sah Switek in die Augen. »Arnie, die können die halben Vereinigten Staaten auslöschen, ohne eine einzige Rakete abfeuern zu müssen.«

Auf Switeks Gesicht zeigten sich Ärger und Verzweiflung. »Verdammt, Sir, wir hätten sie aufhalten können. Wieso –«

»Immer mit der Ruhe«, unterbrach ihn Haig und hob die Hand. »Wir haben sie nicht aufgehalten, weil es immer dieselbe alte Geschichte ist. Kongreß und Senat machen einfach dicht, wenn man das Wort ›militärische Auseinandersetzung‹ auch nur erwähnt. Inzwischen hat man uns freie Hand gegeben, aber die Chinesen haben die Schiffe schon an Ort und Stelle, und die Schlinge ist zugezogen.«

Switek konnte der Bitterkeit, die in ihm aufstieg, nicht Herr werden. »Wir können keinen Präventivschlag wagen?«

»Arnie, ich bin zwar ein alter Haudegen, aber ich möchte nicht dafür verantwortlich sein, noch einmal einen Krieg vom Zaun zu brechen. Das letzte Mal wurde eine Milliarde Menschen getötet, und eine weitere Milliarde ist strahlenkrank und hungert. Möchten Sie auf den Knopf drücken?«

»Nein, natürlich nicht.«

»Und doch scheinen die Chinesen aufs Ganze gehen zu wollen. Wir müssen also hinunter auf den Meeresgrund. Doch wenn wir das tun –«

»Lösen wir vielleicht selbst die Bomben aus.«

»Genau. Wenn wir sie aber nicht entfernen, haben wir ständig den Kopf in der Schlinge, während die Chinesen immer mehr verlangen können.«

»Was ist die Antwort darauf, Herr Minister?« fragte Switek.

»Nun, ich habe die volle Unterstützung des Präsidenten«, erwiderte Haig. »Morgan muß in spätestens acht Stunden reisen, um an der Meeresoberfläche in eines der kleineren Boote der *Sea Trench* umzusteigen. Er fährt ganz hinunter, weist Manning ein und legt die ganze verdammte Sache in seine Hände.«

Switek stieß einen leisen Pfiff aus. »Nicht schlecht.«

Haig fragte ihn: »Oder hätten Sie einen besseren Vorschlag?«

»Sir, ich werde Morgan sofort verständigen.«

Haig nickte. »Also gut. Ich komme gleich nach.« Er blieb stehen und sah zurück.

Switek konnte seine Besorgnis kaum verbergen. Haig sagte in einer Mischung aus Ärger und Dankbarkeit: »Verschwinden Sie schon, Arnie. Lassen Sie einen alten Mann eine Zeitlang allein mit seinen Gespenstern.«

21

Jerry Manning schwamm langsam durch den sanft leuchtenden Tunnel. Neben ihm schwamm Gella, und die Gruppe wurde von einer Ikianerin angeführt, die trotz ihres mittleren Alters unglaublich geschmeidig und schön war. Die Frau hieß Nema und nahm offensichtlich eine bedeutende Stellung ein. Man konnte ihrem Gesicht ansehen, daß sie außerordentlich intelligent war.

Manning hörte ikianische Worte durch das Wasser an sein Ohr dringen. Gleich darauf kam Matthews an seine Seite und deutete in die Höhe. Der Gang wurde steiler. Manning sah Matthews verblüfft an. Himmel, dachte er sich, ich hatte ganz vergessen . . . es ist ja auch unglaublich. Mir ist, als hätte ich mein ganzes Leben Wasser geatmet.

Er sah sich Matthews noch einmal genau an. Die Ikianer hatten ihnen Geräte gebaut, die so ähnlich wie das von Jessica funktionierten, allerdings nicht in den Körper eingepflanzt wurden, sondern auf dem Rücken zu tragen waren. Die Menschen der Erdoberfläche konnten Wasser durch die Nase atmen. Die Ikianer hatten ihnen dünne Schläuche durch Nase und Rachen geführt, und bevor das Wasser die Lungen erreichte, wurde es mit Sauerstoff angereichert. Jessica mußte ihr Gerät nur alle drei Tage wieder aufladen lassen, während die Geräte von Miko, Matthews und Manning ständige Energiezufuhr brauchten. Wenn die drei das Wasser verließen, mußten sie die Schläuche entfernen. Das war am Anfang unangenehm gewesen; man hatte sich inzwischen jedoch daran gewöhnt.

Die Gruppe schwamm den Tunnel hinauf und erreichte eine der luftgefüllten Höhlen, die sie schon kannten. Sie blieben bis zur Hälfte im Wasser sitzen.

Matthews sah sie breit grinsend an. »Ich kann es gar nicht fassen. Wir atmen Wasser. Die Vorstellung, daß Wasser in meine Lungen eindringt . . . daß das nicht wehtut . . . daß ich mich nicht verschlucke . . . unfaßbar!«

Gella sah ihn aufmerksam an. »Sie haben keine Schwierigkeiten?«

Matthews schüttelte den Kopf. »Keine.« Er nahm die Schläuche heraus. »Nun, der springende Punkt ist, daß man keine Schwierigkeiten hat, wenn man aus dem Wasser in Luft kommt, deren Druck dem des Wassers gleicht oder größer ist. Wenn wir in niedrigeren Luftdruck kommen, müssen wir uns immer erst auf den anderen Druck umstellen.«

»Miko nickte. »Sonst kann man selbst in der Luft ertrinken, und zwar wegen des Restwassers in der Lunge. Das, was wir jetzt können, ist schon großartig genug, aber sind Sie imstande, sich vorzustellen, wie frei sich erst Jessica fühlt?«

»Wie lange dauert es«, fragte Matthews, »bis man wieder den normalen Druck erreicht hat?«

»Nur zwei Stunden, und mir kommt das wie ein Wunder vor.«

Manning hatte auch seine Schläuche entfernt, atmete wieder Luft und fragte: »Nema hat Ihnen vorhin etwas in ihrer Sprache gesagt. Wieso verraten Sie uns nicht, worum es ging?«

Matthews schnitt eine Grimasse. »Ach, wenn ich unter Wasser spreche, klingt es wie Donald Duck.« Dann zeigte er in die Höhle hinauf. »Kapitän, Sie sind gar nicht beeindruckt? Wissen Sie nicht, wo wir uns befinden?«

Manning ging an eine Wand und sah sich ihre Struktur genau an. Sie erinnerte an Bienenwaben. »Nein«, sagte er schließlich.

»Wir sind im Inneren eines Computers.«

»Wo?« stieß Manning hervor.

Er antwortete mit einem Lachen auf seine Überraschung. »Seit zehn Minuten schon. Ich habe mit Gella bereits über Computer gesprochen, und er kannte sie aus den Büchern, die sie in gesunkenen Schiffen gefunden hatten, aber unsere Bauweisen weichen so von den ihren ab, daß wir zunächst nicht merkten, daß wir über dasselbe redeten. Wissen Sie, die Ikianer bauen ihre Computer nicht, sie lassen sie wachsen.«

Manning sah sich mit aufgerissenen Augen Wände und Decke an. »Soll das heißen«, fragte er langsam, »daß die ganze Anlage lebendig ist?«

Gella lächelte. »Ja, Manning Kapitän. Wir nennen sie *mlen*. Matthews sagt mir, bei euch heißen sie Computer.« Gella blickte sich stolz um. »Dieser *mlen* . . . also, wir wissen nicht, wie alt er ist. Es gibt ihn schon seit vielen Generationen.«

»Mit anderen Worten«, sagte Matthews, »die haben den Computer schon viel länger als wir. Bei uns ist die erste kybernetische Anlage vor zweiundfünfzig Jahren, 1947, von Norbert Wiener gebaut worden. Die hier haben eine entsprechende Anlage aber schon seit Hunderten von Jahren. Deshalb haben die Ikianer auch so einen Höchststand erreicht, auch wenn sie auf den ersten Blick eher wie eine Agrargesellschaft aussehen. Diese Leute sind auf ihre Art technologisch auf der gleichen Höhe wie wir. Willkommen in der anderen Welt der Ikianer.«

Manning wurde plötzlich ungeduldig. »Sagten Sie mir nicht, daß Sie mit Hydrea gesprochen haben? Und zwar über die lebende Kuppel, die das Tal schützt, aber sehr anfällig gegen Störungen ist?«

»Ja, klar. Ein paar unserer unterseeischen Atomexplosionen zum Beispiel –«

»Lassen wir die mal beiseite«, unterbrach Manning. »Was ist mit Erdbeben, Erdrutschen, unterseeischen Vulkanausbrüchen?«

Gella hob die Hand. »Ich werde antworten. Ja, die Erde unter uns bewegt sich. Jedes Erdbeben der letzten Jahrhunderte ist im *mlen* gespeichert. Ich glaube, Sie wollten das wissen.«

»Können Sie dann auch vorhersagen, wann die Erde das nächstemal beben wird?«

Gella lächelte. »Ja, und zwar mit großer – wie sagen Sie?« Manning sprang für ihn ein. »Genauigkeit?«

Gella ließ sich das Wort durch den Kopf gehen und nickte.

Manning packte Mikos Hand und sah Matthews an. »Meine Güte, Matt! Mit dem, was hier gespeichert ist, können wir allein auf dem Gebiet der Erdbebenvorhersage einen Riesensprung tun. Ich glaube, Gellas Wissenschaftler könnten uns Dinge beibringen, von denen wir uns nichts träumen lassen.«

Er schwieg einen Augenblick und wandte sich dann an Gella. »Gella, werden Ihre Wissenschaftler mit unseren Leuten zusammenarbeiten, wenn wir diese herbringen?«

»Ich sehe viele Möglichkeiten, wie wir zusammenarbeiten können, Manning Kapitän.« Dann erhob sich Gella und lächelte strahlend. »Jetzt eine neue Überraschung. Etwas, das Matthews eine sym –«

»Eine symbiotische Beziehung«, fiel Matthews ein.

»Ja«, sagte Gella. »Sie möchten gern sehen, wofür sich Dr. Chadwick interessiert: Meereskultivierung.« Er lachte. »Ich habe das Wort geübt. Dr. Chadwick hat mir erklärt, was mit Ihrer Ernährung seit dem Krieg geschehen ist.« Gella runzelte die Stirn. »Wir verstehen nicht«, fuhr er fort. »Wir lernen aus Ihren Büchern. So viele Menschen, so viele verschiedene Sprachen. Das ist nicht wie bei den Amphibiern. Hier im großen Tal gibt es nur eine Sprache. Chadwick sagt, viele Menschen auf der Oberfläche haben kein Essen. Er sagt, das, was wir über Anbau wissen, kann helfen.«

»Ganz bestimmt, Gella.«

»Kommen Sie mit«, sagte Gella. »Diesmal fahren wir. Matthews sagt, einen verrückteren Schlitten gibt es nicht.«

Er mußte lachen, als er ihre Gesichter sah. Er wandte sich an Nema und sagte auf englisch: »Laß bitte die *yren* kommen.«

»*Yren*?« fragte Miko, die das Wort noch nie gehört hatte.

Matthews lachte leise. »Sie werden schon sehen. Folgen wir Gella.«

Sie legten wieder ihre Atemgeräte an, schlüpften ins Wasser und erreichten durch den Tunnel das offene Wasser des Tales, wo sie von einer Gruppe Ikianer erwartet wurden, die ein unglaubliches Ding mit sich führten.

Es war ein Rahmen aus Korallen und keramischen Werkstoffen, die zu Röhren geformt waren. Auf ihm war Platz für drei Menschen. Die Passagiere legten sich auf das Gerät, wobei der Kopf höher zu liegen kam und die Füße auf einer Querstange ruhten. Die Arme konnten bequem neben dem Körper gehalten werden, und die Hände umfaßten zum Staunen der Besucher keine Hebel, sondern Zügel. Das ganze Ding war wie ein Tropfen geformt, und der Bug trug einen klaren Kunststoffschild. Sie sahen, wie ein zweiter *yren* gebracht und von den Ikianern für die Fahrt vorbereitet wurde.

Gella gab den Amerikanern durch Handzeichen zu verstehen, daß sie sich dem Gerät anvertrauen sollten. Gella legte sich auf den mittleren Platz des einen *yren*, und Miko und Manning ließen sich neben ihm nieder. Matthews ging mit einem Ikianer zum zweiten Schlitten. Die Ikianer sahen sorgfältig nach, ob alles in Ordnung war.

Gella nickte zufrieden. Er sagte mit gedämpfter Stimme: »Schön, Sie werden nicht herabfallen, wenn wir losfahren.«

Manning wollte dem Führer der Ikianer sagen, daß ihre Sicherheit nichts zu wünschen übrigließ, aber die Worte gingen in einem Blubbern unter.

Gella lachte und neigte sich zu ihm. »Der *yren* ist lebendig«, sagte er langsam und deutlich. »In dem Rahmen des Schlittens befinden sich zwei große Tintenfische. Unsere Wissenschaftler haben die Tiere lange gezüchtet. Die Tiere sind sehr spezialisiert. Treiben uns mit ihrem Rückstoß an. Sie verstehen?«

Manning nickte, wollte wieder etwas sagen, brachte aber nur Luftblasen heraus.

Gella lachte. »Wie Matthews immer sagt: »Festgehalten!« Er nahm die Zügel, und die großen Tintenfische unter ihnen machten sich an die Arbeit. Der Schlitten fuhr erstaunlich rasch an. Sie wurden immer schneller und stiegen in die Höhe, bis sie in der Ferne einige Kuppelbauten erkannten, die in verschiedenen Höhen schwebten oder am Grund befestigt waren. Manning blickte Gella fragend an, aber der wollte jetzt nicht darauf eingehen. Gleich dahinter sahen sie weite Felder, auf denen sich in der Strömung seltsame Pflanzen wiegten. Die Felder waren von strahlenden Leuchtorganismen umgeben, und in ihrem Schein konnte man Landarbeiter erkennen. Auch einige der großen Aale kamen in Sicht. Sie hatten aber anscheinend mit der Feldarbeit nichts zu tun.

Der Schlitten kehrte in einem weiten Bogen zum Meeresgrund zurück, und Gella schwamm zur nächsten Kuppel und winkte ihnen, sie sollten ihm folgen.

Die Kuppel hatte an der Unterseite einen Eingang. Manning begriff, daß sie innen unter hohem Luftdruck stand und trocken war. Es fanden sich Stufen und Absätze, und an den Wänden liefen Sitze in übereinanderliegenden Reihen entlang.

Sie stiegen aus dem Wasser, begaben sich auf den dritten Absatz, entfernten die Atemschläuche und warteten, bis Matthews und der Ikianer nachgekommen waren.

»Gella«, fragte Miko, »diese Kuppeln. Wir haben viele gesehen. Welchen Zweck erfüllen sie?«

Gella runzelte die Stirn und schwieg eine Weile. Er warf einen Blick auf Matthews, sah dann wieder Miko an. »Die Garm können hier nicht herein.«

»Garm? Ich habe das Wort noch nie gehört, Gella.«

Gella nickte. »Hydrea hat mit Manning Kapitän über sie geredet, auch mit Matthews. Wenn sie kommen, gehen unsere Leute schnell in diese Kuppeln und in die anderen Gebäude.«

Manning fielen die Tore in den langen, gewölbten Gängen ein, und plötzlich verstand er etwas, das ihn schon lange verwirrt hatte. Die Tore, und was Gella die Garm nannte, paßten zueinander. »Die Garm, von denen Hydrea sprach, sind eine Art Qualle, nicht wahr? Vielleicht stimmt das Wort nicht genau.«

Matthews antwortete für Gella: »Ja, Kapitän, sie sind mehr als nur Quallen. Sie sehen aus wie Quallen, treiben aber nicht nur durchs Wasser, sondern können sich in jede Richtung bewegen. Sie können auch eine Menge tierischen Gewebes verschlingen.« Er machte ein finsteres Gesicht. »Übrigens auch menschliches Fleisch.« Er sah den Ausdruck von Entsetzen auf Mikos Gesicht. »Sie sind so gefährlich, weil sie eine Art Säure ausscheiden. Sie können sie in bestimmte Richtungen leiten oder einfach das Wasser in ihrer Umgebung damit durchsetzen. Diese Säure löst alles auf, womit sie in Berührung kommt, ausgenommen den Baustoff dieser Kuppeln und das granitähnliche Gestein der Felswohnungen und –«

Manning unterbrach ihn mit einer Handbewegung und sagte rasch: »Einen Augenblick, Matt. Ist das der Grund, warum es in den Gängen die schweren Tore gibt?«

Matthews nickte. »Ja. Irgendwie können sich diese Dinger durch die große Kuppel fressen oder ätzen, die das Tal schützt. Sie löst sich unter der Säure einfach auf, doch da sie aus lebendigen Zellen besteht, schließen sich später die Löcher wieder, aber in der Zwischenzeit können die Teufelsdinger eindringen.«

Gella sah sie ernst an. »Das stimmt. Bis vor wenigen Jahren konnten die großen Aale, die *grektor*, die Garm aufhalten, sie durch Stromschlag töten. Dann –«

Er verstummte kurz, und sein Gesicht verfinsterte sich. »Dann geschah etwas. Die Garm ändern sich. Sie sind schrecklich. Wenn die *grektor* mit den Zähnen angreifen, ist das ihr Untergang. Aber sie sterben nicht wie früher. Sie –«

Er suchte nach den richtigen Worten, und Matthews gab ihm ein Zeichen. »Gella, soll ich weitersprechen?«

Gella nickte, und Matthews fuhr fort: »Hydrea hat schon darauf angespielt, und darin liegt auch der Grund, warum er gegen uns ist. Während des Krieges wurden die Meere radioaktiv verseucht. Nun, die Garm sind anscheinend eine sehr alte, primitive Lebensform, deren Anpassungsfähigkeit nur auf Überleben ausgerichtet ist. Sie können sich rasch Umweltveränderungen angleichen, und die Radioaktivität hat zu einer Mutation geführt. Es ist fast unmöglich, sie umzubringen, und es wird offenbar immer schlimmer. Hydrea ist verbittert, weil er meint, die Ikianer seien schutzlos, und ihr Untergang stehe bevor.«

Manning verstand jetzt, warum der unbeugsame alte Mann sie nicht leiden konnte. »Was ist mit den Aalen?« fragte er Matthews. »Der elektrische Schlag hat doch ausgereicht, eines unserer U-Boote zu vernichten?«

»Er ist ihre Hauptwaffe, aber er ist wirkungslos geworden. Die Garm sind unglaublich anpassungsfähig. Der Schlag, der sie einst getötet hat, scheint sie jetzt nur noch zu betäuben. Selbst wenn die Aale sie zerreißen, bleiben die einzelnen Stücke am Leben und sind fast so schlimm wie das Ganze, von dem sie stammen.«

Miko sah ihn entsetzt an. »Das klingt ja, als seien sie unüberwindlich.«

»Schon möglich«, erwiderte er.

Manning sagte: »Wir haben vielleicht etwas, das ihnen den Garaus macht.«

Gella schaltete sich sofort in das Gespräch ein. »Matthews hat schon einmal eine – eine Waffe erwähnt.«

»Ich weiß natürlich, daß Sie Ultraschallwaffen haben, aber Sie haben nicht gesagt, ob Sie sie gegen die Garm einsetzen.«

»Manchmal geht es mit ihnen.«

»Und Explosivstoffe können auch nicht eingesetzt werden, weil sie eher die Leute als die Garm töten würden. Und alles würde nur schlimmer werden, weil die Garm auch zerfetzt weiterleben.«

»Die Maser«, sagte Manning ruhig.

»Himmel!« rief Matthews. »Natürlich –«

Gella sah sie erstaunt an. »Ich verstehe nicht.«

Miko wandte sich an Gella. »Sie wissen, daß wir uns in vielen Dingen voneinander unterscheiden. Sie wissen, daß wir eine . . . kriegerische Rasse sind. Viele Leute bei Ihnen sind entsetzt über unsere Geschichte. Hydrea hat in vielem recht. Wir haben uns immer gegenseitig bekämpft. Von alldem gibt es hier unten nichts. Wir denken auch völlig anders. Die Maser, von denen Kapitän Manning spricht, sind sehr stark. Sie schaden Ihren Leuten vielleicht mehr, als sie ihnen nützen. Wenn –«

Matthews verzog das Gesicht. »Und wenn die Garm kommen

und sie töten?«

»Ich weiß, Matt, aber –«

»Wir besprechen das später«, sagte Manning. »Natürlich zusammen mit Gella. Im Augenblick bekommen wir aber Besuch.«

Sie blickten hinunter und sahen Chadwick und Templeton aus dem Wasser in die Kuppel steigen.

Chadwick begrüßte sie fröhlich. »Ah, schön, daß Sie hier sind, Kapitän. Haben Sie gesehen, wie die Leute ihre Felder bestellen?« Er kam die Stufen herauf und war sichtlich aufgeregt. »Wenn wir ihre Methoden und ihr Wissen übernehmen, auf die ersten dreißig Meter unter der Oberfläche übertragen, könnten wir eine Menschheit ernähren, die fünfmal größer als die jetzige ist.«

»Und die Methoden lassen sich übertragen«, ergänzte Templeton etwas atemlos. »Wir haben unsere Tests abgeschlossen. Es wird zu machen sein, Kapitän.«

Manning konnte ein Lächeln nicht unterdrücken. »Ich habe Sie beide noch nie so aufgeregt gesehen.«

»Aufgeregt?« wiederholte Chadwick. »Wir haben guten Grund dazu, Sir. Wenn die Bäuche der Welt gefüllt sind, wird es weniger Grund geben, sich die Schädel einzuschlagen. Und wir könnten die ganze Welt so ernähren.« Chadwick holte tief Luft und gab sich ein wenig förmlicher. »Kapitän Manning, ich würde gerne so rasch wie möglich nach New Washington reisen. Das ist so wichtig für den ganzen Planeten, daß ich meinen Bericht dem Präsidenten persönlich überbringen möchte.«

Manning nickte. »Gut. Niemand kennt sich auf dem Gebiet besser aus als Sie. Ich stehe ganz zu Ihrer Verfügung, und Sie können Ihre Pläne sofort in die Tat umsetzen.«

»Wunderbar. Wenn Sie Zeit haben, möchte ich Sie und Miko durch bestimmte Felder führen. Es ist –« Er brach ab, weil ein Ikianer aus dem Wasser auftauchte und rasch mit Gella einige Worte wechselte.

Gella wandte sich an Matthews, der dem Gespräch gefolgt war.

»Sir«, sagte Matthews zu Manning, »im Boot wartet eine dringende Meldung auf Sie.«

Manning sah Gella an. »Es tut mir leid, aber wir müssen sofort zum U-Boot zurück.«

»Ein Problem?«

Manning zögerte, faßte plötzlich einen Entschluß. »Möglich. Gella, wir sind ganz offen zueinander gewesen. Ich möchte keine Geheimnisse vor Ihnen haben.«

»Geheimnisse?«

»Wir haben versprochen, daß wir nichts in Ihrem Tal tun werden, von dem Sie keine Kenntnis haben. Würden Sie bitte mit in das U-Boot kommen, um Zeuge dessen zu sein, was vorfällt?«

Gella lächelte breit. Er nickte. »Ja. Das ist gut. Danke.«

22

Sie fuhren rasch mit dem *yren* durch das Tal, bis die *Sea Trench* hoch vor ihnen aufragte. Manning schwamm zur Leiter, die in die Druckkammer führte, und Miko und Gella waren dicht hinter ihm. In der Kammer nahmen sie die Flossen ab und die Atemschläuche heraus. Eine Luke öffnete sich, und Dr. Simmons trat ein.

»Für uns ist diese Art zu atmen ganz neu«, sagte der Arzt, »und ich möchte das System genau kennenlernen. Sie werden ein paar Stunden brauchen, um die restliche Flüssigkeit aus Ihrem Körper zu entfernen. Ich werde das überwachen.«

Manning blicke Simmons ungläubig an. »Ein paar Stunden? Eine dringende Meldung wartet auf mich –«

»Sie verlassen die Kammer erst, wenn ich meine Einwilligung gebe.«

»Na schön«, brummte Manning. »Ich kann die Sache auch von hier aus erledigen.«

Er ging zu einer Schalttafel und drückte einige Knöpfe. Ein Bildschirm leuchtete auf, und Manning sprach in ein Mikrophon. »Brücke, hier ist der Kapitän.«

Der Bildschirm zeigte Bill Ryan im Befehlsstand.

»Kapitän, die Sache sieht heiß aus«, erklärte Ryan. »Wir haben eine Blitzmeldung über die Boje bekommen, die außerhalb der grünen Kuppel ist.«

»Na los«, sagte Manning.

Ryan warf einen Blick auf ein Stück Papier vor ihm. »Sie kommt direkt von Minister Haig. Er schickt einen Kapitän Morgan her, den wir an Bord nehmen sollen.«

»Hierher kommt er?«

»Genau. Wir haben schon ein Boot hinaufgeschickt. Es ist bereits auf dem Rückweg.«

Manning überlegte angestrengt. »Wenn Tim Haig jemanden direkt herschickt, anstatt den Code zu benützen –«

»Das habe ich mir auch schon gedacht«, sagte Ryan.

»Gut, Bill«, meinte Manning, »wenn er da ist, lassen Sie ihn ein wenig warten. Der Doktor hier besteht darauf, daß der Druckausgleich mindestens zwei Stunden dauern muß.«

Manning sah über Bildschirm, wie Ryan einige Anzeigegeräte ablas. Er sagte: »Kapitän, Kontakt mit dem Boot. Morgan wird in fünfzehn Minuten an Bord sein.«

»Sehr schön. Sagen Sie ihm –«

In diesem Augenblick drang ein tiefer, brummender Ton zu ihnen herein, der sich noch zweimal wiederholte. Alle bis auf Gella waren überrascht. Auf dem Gesicht des Ikianers zeigte sich etwas anderes, nämlich Furcht und Besorgnis. Er hatte die Augen in die Ferne gerichtet, als könne er durch die Stahlwände der *Sea Trench* blicken. »Die Garm«, sagte er. »Sie sind da. Sehr schlecht. Das dreifache Signal. Ein gefährlicher Durchbruch.«

Er eilte zum Ausgang, blieb stehen und sah Manning eindringlich an. »Sie haben von Waffen gesprochen. Wenn Sie helfen können . . . bitte.« Dann war er im Wasser verschwunden.

Manning ließ alle Bedenken beiseite. Er fuhr herum und legte einen Hebel um. Der Druck in der Kammer stieg wieder an.

»Um Himmels willen, bloß nicht!« rief Dr. Simmons.

»Still, John«, knurrte Manning. »Wir gehen wieder raus, und zwar gleich. Miko, Matt, legt sofort eure Anzüge an.«

Er drückte den Alarmknopf. Er nahm das Mikrophon und rief durch das ganze Boot: »Allgemeiner Alarm! Ryan, Sie bleiben auf der Brücke! Sparco im Maschinenraum! MacKinney, alles sofort gefechtsklar! Patterakis, sofort vier bemannte Torpedos ins Wasser! Jedes führt zwei Maserwaffen mit! Jeder, der mit rausgeht, setzt seinen Helm auf! Wir müssen uns verständigen können! Die Torpedos werden direkt vor den Bug gebracht! Los! Ryan?«

»Hier, Sir.«

»Bill, das *Suchboot* verständigen! Es soll keine Luken zum Umsteigen öffnen! Morgan soll an Bord bleiben! Wir werden von einer Art Qualle angegriffen! An alle: Unter keinen Umständen mit Explosivstoffen angreifen!« Er holte tief Luft und fuhr fort: »Prentiss! Sie arbeiten mit Simmons zusammen! Wir wissen nicht, was auf uns wartet, aber Sie richten die Druckkammer lieber als Lazarett ein! Verstanden?«

»Jawohl.«

»Schön«, sagte Manning. »Jeder an seinen Posten!«

Matthews und Miko hinter ihm hatten schon ihre Helme aufgesetzt und die Atemgeräte umgeschnallt. Simmons half Manning beim Anlegen seiner Ausrüstung. Manning überprüfte die Verständigung. »Könnt ihr mich hören? Miko?«

»Alles klar.«

»In Ordnung, Kapitän«, sagte Matthews.

»Dann los!« befahl Manning knapp. »Miko, du bleibst von jetzt an dicht bei mir!«

Er drehte sich ohne ein weiteres Wort um und stieg als erster ins Wasser. Miko und Matthews folgten ihm.

Ryan verließ auf der Brücke den Kommandositz. Er sah den nächsten Offizier an. »Holvak, Sie übernehmen das Kommando. Ich gehe raus.«

Der Mann zögerte, erwiderte unsicher: »Der Kapitän hat Ihnen doch gesagt –«

Ryan sagte laut: »Holvak, das ist ein Befehl! Sie übernehmen das Kommando!«

Ryan wartete die Antwort nicht ab, sondern rannte durch die Tür auf den Gang hinaus, hastete Treppen und Leitern hinunter und erreichte die Kammer, in der die Torpedos lagen. Diese bemannbaren Fahrzeuge hatten Hydrojetantrieb und zwei sattelähnliche Sitze mit Gurten und Bedienungshebeln. Ryan nahm seinen Tauchanzug aus einem Schrank und zog sich so rasch wie möglich um. Hinter sich hörte er Schritte.

»Drehen Sie sich um«, hörte er Autry sagen. »Ich überprüfe Ihre Ausrüstung.« Autry schraubte ihm den Helm auf und klopfte ihm auf die Schulter. »Alles klar. Aber könnten Sie mir sagen, was los ist? Ich hab den Kapitän gehört –«

Ryan sah die anderen in der Kammer an und sagte: »Verdammt, Bewegung! Seid ihr fertig! Packt die Maser und dann nichts wie los!«

Sie nahmen die Waffen, machten sie schußbereit, und Autry gab Pete Williams, der die Szene von einem Fenster aus beobachtete, das Zeichen, die Kammer zu fluten.

Ryan sagte: »Ich nehme den ersten Torpedo und ihr anderen die restlichen.«

Das Wasser strömte schon in die Kammer. Sie setzten sich auf die Torpedos, und drei Minuten später öffnete sich eine Klappe und gab ihnen den Weg ins Tal hinaus frei. Augenblicke später sahen sie Miko, die auf sie zeigte. Sie hörten ihre Stimme in den Helmen. »Sie kommen.«

»Gerade rechtzeitig«, sagte Matthews und blickte sich um. In der Ferne waren Anzeichen heftiger Bewegung zu erkennen. Winzige Gestalten eilten zu den Schutzräumen, andere waren an der Seite der großen Aale, wieder andere rasten mit den Schlitten davon.

Manning starrte Ryan an, der mit dem ersten Torpedo vor ihm anhielt. »Verdammt, ich hab' Ihnen doch gesagt –«

»Ich weiß«, sagte Ryan. »Möchten Sie jetzt darüber reden oder es auf später verschieben?«

Manning machte eine ärgerliche Geste. »Ich und Miko, wir nehmen diesen Torpedo. Sie und Matthews fahren bei den anderen mit.«

Manning setzte sich auf den Vordersitz, und Miko nahm hinter ihm Platz. Autry brachte ihnen die Waffen. Sie vergeudeten keine weitere Zeit mehr und stiegen in lockerer Formation auf. Manning und Miko übernahmen die Spitze, Ryan und Matthews waren die zweiten, Patterakis und Urback die dritte. Den Schluß bildeten Autry und Williams.

»Schön«, sagte Manning. Seine Stimme war in den Helmen gut zu hören. »Jetzt sind wir dabei. Wir wissen nicht, was wir vor uns haben, aber soviel wir gehört haben, sind diese Garm eine Art Quallen. Wenn sie einen berühren, ist es mit einem zu Ende.«

Patterakis rief: »Da drüben ist die Hölle los!«

Manning steuerte einen neuen Kurs. Das ganze Tal schien von hohen und tiefen Lauten eines Kampflärms erfüllt zu sein, der sogar die Geräusche ihrer Hydrojets übertönte.

Sie rasten näher und erschraken gewaltig, als von oben her der halb aufgelöste Körper eines Ikianers an ihnen vorbei in die Tiefe sank. Das halbe Gesicht war wie weggefressen, die Rippen lagen frei, und es sah aus, als ob die Innereien herausgesaugt worden wären. Miko wurde es beinahe übel.

Die Ikianer schienen eine Art Verteidigungslinie zu bilden. Sie hatten sich um einige Schlitten versammelt, und eine Menge großer Aale war bei ihnen. Eines der Tiere warf sich mit instinktiver Wut gegen die Garm, die ersten, die die Amerikaner sahen. Die Geschöpfe hatten einen Durchmesser von etwa zwei Metern. Sie änderten ständig ihre Färbung und hatten lange, peitschenartige Fangarme, die sich unglaublich geschickt bewegen konnten und ständig auf der Suche nach Opfern waren. Die Garm wichen nicht etwa vor dem angreifenden Aal zurück, sondern bewegten sich sogar auf ihn zu. Er warf sich einer Anzahl von ihnen entgegen, und eine heftige Entladung blitzte durch das Wasser.

Die Garm schienen nur betäubt. Der Aal begann jetzt, sie mit seinen Riesenzähnen zu zerreißen. Die einzelnen Stücke begannen sich jedoch gleich wieder zu regen, und ihre Fangarme streckten sich gierig aus. Eine Menge Garm hatten den Aal jetzt umzingelt.

»Habt ihr das gesehen?« keuchte Miko. »Die Dinger sind wieder zum Leben erwacht.«

»Ein paar Ikianer kommen näher«, rief Autry. »Sie haben Ultraschallwaffen dabei.«

»Schaut euch den Aal an!« schrie Patterakis.

Ein lautes Kreischen erschütterte das Wasser. Sie sahen, wie sich der Aal wand und krümmte, als ihn die Fangarme packten, sich um ihn ringelten und festsaßen, als seien sie angeklebt. Sie sahen, wie eine weißliche Flüssigkeit aus den Fangarmen austrat. Wo sie auf den Fischleib traf, löste sie das Fleisch auf. Nackte Muskeln und verdrehte Knochen kamen in Sicht, und die Garm rückten näher. Jetzt wurden kürzere, dickere Arme sichtbar, die mehr in der Mitte der Qualle saßen. Sie saugten den vorverdauten Aal aus. Das große Tier zuckte noch ein paarmal und erschlaffte.

»Unter uns!« rief Manning. »Der Junge ist dort unten!«

In einiger Entfernung unter ihnen befand sich Richard Castillo in einer Gruppe Ikianer, die ihre Ultraschallwaffen auf die Garm richteten. Doch die Angreifer wurden vom schmerzhaften Schall nur vorübergehend gelähmt.

»Er sitzt in der Falle!« schrie Miko. »Schneller!«

Sie schossen mit den Torpedos in die Tiefe, während sich immer mehr Garm um Castillo und die Gruppe der Ikianer zusammenrotteten. Manning war als erster da, brachte den Torpedo zum Halt und zielte sorgfältig mit dem Maser. Ein blendend grüner Strahl zischte durchs Wasser. Die Waffe lud sich sofort auf, und er schoß noch einmal. Das grüne Licht fuhr in den nächsten Garm.

Die Wirkung war sofort zu sehen. Die gewaltige Hitze des Maserstrahls brachte das Gewebe des Tieres zum Kochen, zum Schmelzen, zum Dampfen, und übrig blieben nur kleine, verkohlte Fetzen. Das Geschöpf war tot.

»Himmel, es funktioniert!« freute sich Matthews. Sein Maser schoß jetzt auch knallend grüne Strahlen ab. »Stürzt euch alle in den Kampf!« rief er.

Sie verließen die Torpedos, schwärmten aus, verteidigten sich und schossen zugleich in die Menge der Garm. Ein Geschöpf nach dem anderen sank vernichtet zu Boden. Innerhalb von Minuten hatten sie ein gutes Hundert der teuflischen Wesen getötet, aber es hatten sich solche Massen versammelt, daß die Rettung Castillos und der Ikianer nur langsam Fortschritte machte.

»Deckt mich!« rief Matthews. »Ich muß näher ran!«

Manning rief ihm nach, er solle warten. »Wir kämpfen uns zusammen näher!«

Matthews schwamm jedoch schon so schnell wie möglich auf die Gruppe zu, ließ die Flossen wirbeln und feuerte ohne Unterlaß.

Sie kamen zu spät, und es waren zu viele Garm, und einige Ikianer wurden von Fangarmen gepackt, von der weißlichen, säurehaltigen Flüssigkeit aufgelöst. Die jungen Menschen schrien vor Entsetzen und starben vor Matthews' Augen einen teuflischen Tod.

»Halt aus, Junge!« rief Matthews verzweifelt, als könne Castillo ihn hören. Der junge Mann war bleich vor Angst, und er und die Ikianer drängten sich zusammen und richteten ihre schwachen Waffen gegen die Angreifer. Er blickte überrascht auf, als sich Matthews zwischen sie und die Garm schob. Matthews gab ihnen verzweifelt Handzeichen, sie sollten fliehen, und die anderen hörten in ihren Helmen, wie er rief: »Haut ab, ihr Narren! Verschwindet schon!«

Castillo und die Ikianer schwammen um ihr Leben, auf Manning und die anderen zu, die sie fast erreicht hatten.

Ryans Stimme gellte in Matthews' Helm. »Matt! Hinter dir, um Himmels willen, hinter dir!«

Maserstrahlen fuhren durch das Wasser in Matthews Nähe, und er wirbelte herum. Sein Gesicht erstarrte vor Entsetzen, als sich Fangarme um seinen Hals legten. Sein Maser spie grünes Licht, und einige Garm in seiner Nähe lösten sich dampfend auf, aber es waren zu viele. Ein weiterer Fangarm legte sich um ein Fußgelenk und schickte stechende Schmerzen durch das Bein. Er stieß keuchend die Luft aus, als Säure durch seinen Taucheranzug drang und Feuer den Brustkorb füllte.

Sie feuerten weiter ihre Waffen ab, mußten aber hilflos zusehen, wie er starb und mit erloschenen Augen auf den Grund sank.

23

Sie feuerten unentwegt weiter, bildeten einen kleinen Kreis, und mit jeder Minute wurden es mehr tote Garm. Nur noch wenige lebten, und auch die wurden zum Schmelzen gebracht. Ryan gab Manning ein Zeichen, zeigte hinunter auf die Stelle, an der Matthews Leiche lag und sagte: »Ich hole ihn.«

»Nein, keine Zeit«, erwiderte Manning rauh. »Schauen Sie nach links! Man braucht uns. Alle auf die Torpedos! Mir nach, so schnell es geht! Wir sind noch lange nicht fertig.«

Sie fuhren mit Höchstgeschwindigkeit auf eine unruhige Gruppe Ikianer zu, die sich um einige Schlitten versammelt hatten, von denen aus sie große Ultraschallwaffen abfeuerten. Sie konnten die näherrückenden Garm nur betäuben. Sie versuchten, genug Zeit zu gewinnen, um die Schutzkuppeln und die Gebäude zu erreichen.

Manning sah Gella auf einem der *yren*. Einige Garm näherten sich dem Schlitten von unten mit verblüffender Schnelligkeit. Manning sah, daß die Tintenfische im Gestell nicht mehr auf Gellas Zügelbewegungen reagierten. Gella ließ die Zügel plötzlich los und schwamm steil nach oben. Das war gerade noch zur rechten Zeit, denn inzwischen hatten einige der Quallen den *yren* erreicht und machten sich daran, die verängstigten Tintenfische bei lebendigem Leibe aufzufressen.

Gella sah sich verwirrt um, als ein blendend heller, grüner Lichtstrahl an ihm vorbeischoß. Er sah Manning und die anderen feuern, und er wandte sich um und sah, wie die Maserstrahlen die Garm kochen, dampfen und grau werden ließen.

Die Ikianer schwammen von den Garm fort, während die sieben Amerikaner weiter in die Menge der Angreifer schossen. Es war keine Schlacht mehr. Manning und seine Leute hatten jetzt Erfahrung und erlegten die Quallen in stetiger Zusammenarbeit.

Binnen fünf Minuten war die ganze Gegend gesäubert. Tote Garm sanken langsam zu Boden. Gella schwamm an Mannings Seite und sah ihn zweifelnd, erstaunt und hoffnungsvoll an. Er packte Mannings Arm und zeigte nach Osten, wo in der Ferne

Kampfgetümmel zu erkennen war.

Sie nahmen wieder auf den Torpedos Platz, Gella auf Matthews' Sitz, und eilten auf die Wolke von Garm los, die sich um eine Kuppel versammelt hatte, welche an einer Seite eingerissen zu sein schien. Die bemannten Torpedos kamen an einer Gruppe halb aufgelöster und zerfressener Ikianer vorbei, rasten weiter, bis sie auf Schußweite heran waren.

»Feuer frei!« rief Manning. »Sorgfältig zielen!«

Die Szene war eine Wiederholung der vorigen. Manning war froh, daß die Maser ihre Energie aus kleinen Nuklearbatterien bezogen. Andere Waffen wären längst schon leer gewesen. Immer wieder zischten die grünen Blitze durchs Wasser, und die Quallen wurden in Scharen vernichtet. Die Ikianer strömten an ihnen in verzweifelter Flucht vorbei, und die Garm konzentrierten sich glücklicherweise auf die Kuppel, weil sie meinten, die Beute dort könnte ihnen nicht entkommen. Besser hätte es gar nicht sein können, da dadurch alle Angreifer an einem Punkt versammelt waren. Die Amerikaner schwammen langsam um die Schutzkuppel herum und feuerten und feuerten.

Manning konnte kaum noch aus den Augen sehen, und die Muskeln taten ihm weh, als er Ryans Hand auf seiner Schulter fühlte. Er wandte sich um und sah Gella direkt hinter Ryan. »Es ist vorbei, Jerry«, sagte Ryan leise. »Wir haben alle erledigt. Wir fahren aber auf alle Fälle noch einmal das Tal ab.«

Manning nickte, zeigte auf die Torpedos, die sich automatisch in der Schwebe hielten. »Dann fahren wir«, sagte er.

Sie kehrten mit geröteten Augen und völlig erschöpft in die *Sea Trench* zurück. Stolpernd stiegen sie von den Torpedos und begaben sich in die Druckausgleichskammer. Man half ihnen auf Liegen, und Dr. Simmons befahl ihnen absolute Ruhe. Er blieb neben Miko stehen und sagte zu Manning: »Sie ist völlig ausgebrannt. Sie muß schlafen, oder sie bricht zusammen.«

Manning nickte: »Wie Sie meinen, John.«

Mannings Murmeln zeigte den anderen, daß auch er ganz erschöpft war.

Simmons blickte sich um. »Wo ist Matthews?«

Manning öffnete mühsam die Augen. Er hatte vergessen, daß Simmons keine Ahnung haben konnte. »Tot.«

Er wartete, wußte, wie sehr der Arzt erschrocken sein mußte. »Und Williams auch.«

Simmons riß sich zusammen. »Was ist mit den anderen?«

»Wir wissen nichts. Gella wird uns so bald wie möglich Nachricht geben.«

»Jessica? Wissen wir, wie es ihr –«

»Ich sagte doch, wir wissen nichts.«

Simmons zog sich zurück. »Schon gut, Sir.« Er überlegte. »Ist draußen alles vorbei?«

»Für den Augenblick schon.« Manning rieb sich die Augen. »Ich hätte mir nie träumen lassen, daß es solche Geschöpfe gibt.«

Simmons gab sich einen Ruck. »Das kann bis später warten. MacKinney hält das Boot in Alarmzustand. Es ist alles in Ordnung. Aber Sie und die anderen, die draußen waren, Sie haben zuviel Energie verbraucht –«

Manning hob eine Hand und ließ sie kraftlos sinken. »Schon gut, Doktor.«

Simmons ging von einem zum anderen und spritzte jedem ein Schlafmittel. »Sie werden jetzt schlafen, Sie alle –«

Er brach ab, als sich eine Luke öffnete und ein Fremder in die Kammer trat. Er hatte ein Namensschild auf der Brust, und Simmons las: Steve Morgan, U.S. Marine. Morgan machte ein erstauntes Gesicht, als er die erschöpfte Gruppe sah.

»Was ist denn hier passiert?«

Ryan war beinahe schon eingeschlafen. Er richtete sich mühsam auf und brachte ein schwaches Lächeln zustande. »Ach, wen haben wir denn hier? Willkommen an Bord, Morgan. Sie wären fast zu der Party zurechtgekommen –«

Er schlief noch unterm Reden ein.

Sie schliefen vierzehn Stunden lang. Simmons war bei ihnen, als sie erwachten. Die Muskeln schmerzten, die Köpfe waren schwer, aber ein Massagebad und ein kräftiges Essen brachten sie wieder auf die Beine. »Sie sind okay«, sagte Simmons zur Gruppe, als er jeden untersucht hatte. »Ich würde aber so rasch kein Wettschwimmen mehr veranstalten.«

Manning gab keine Antwort. Sein Verstand beschäftigte sich schon mit anderen Dingen. Er begab sich mit Ryan und einigen anderen in die Waffenkammer. Vor einer Stunde hatten sich Gella und weitere Ikianer dort eingefunden. Als Manning eintrat, sah er MacKinney einen Übungsmaser in der Hand halten, dessen Handhabung er Gella erklärte. Manning sah zu, wie ein Ikianer nach dem anderen rasch eingewiesen wurde. MacKinney nahm eine Waffe aus einem Schrank und gab sie Manning. »Wir haben sie überprüft. Sie können alle hinaus. Aber Sie sind der einzige, der befugt ist –«

»Schon gut, Mac. Saubere Arbeit.« Manning wandte sich an Gella. »Wir haben dreißig für Sie. Die anderen, die eine Einweisung brauchen, können jederzeit herkommen. Wir möchten, daß jeder Mann, dem eine Waffe gegeben wird, richtig mit ihr umgehen kann. Sie gehören jetzt Ihnen.«

Er übergab Gella die Waffe. Der wog sie in der Hand, sah sie sich von allen Seiten an und sagte: »Seltsam, wie so etwas Leben bedeuten kann.«

Manning nickte. »Wenn genug Maser da sind, werden Sie das Problem der Garm selbst lösen können.« Er wandte sich an Morgan. »Ist die dringende Anfrage in Washington angekommen?«

Morgan nickte. »Haig läßt ausrichten, daß eintausend Maser mit Energiezellen und Ersatzteilen geschickt werden.« Er blickte den Führer der Ikianer an. »Sir, heute nacht werden sie auf den Weg geschickt.«

Gella sah erst Morgan und dann Manning an. »Wir danken.«

Manning warf Morgan einen Blick zu und gab ihm zu verstehen, daß er vorbringen könne, worüber sie sich schon verständigt hatten.

»Mir ist gesagt worden«, begann Morgan, »daß ich in Ihrer Gegenwart alles sagen kann.«

Gella versuchte zu verstehen und schaute Manning in die Augen.

Manning sagte: »Es ist wie seit unserem ersten Treffen. Nichts soll verborgen sein. Mr. Morgan möchte mit Ihnen über eine Sache sprechen, die für uns sehr wichtig ist.«

Morgan sagte zu Gella: »Ich habe Kapitän Manning erklärt, warum ich persönlich in das Tal kommen mußte. Er hat mir gesagt, daß Sie über solche Dinge wie große Schiffe, die auf der Meeresoberfläche fahren und – über Waffen Bescheid wissen. Ich meine Waffen wie Wasserstoffbomben.«

Auf Gellas Gesicht zeigte sich kurz Abscheu. »Ja, ich verstehe«, sagte er langsam. »Was ich nicht weiß, Kapitän Manning wird mir erklären.«

»Am besten zeige ich Ihnen, wie die Dinge stehen«, meinte Morgan. »Kommen Sie bitte mit.«

Manning brachte sie auf die Brücke. Gella sah sich um und war von der Vielfalt der Schalttafeln und Geräte überwältigt. Manning blieb vor der holographischen Projektionsanlage stehen und bediente sie eigenhändig. Gella hatte noch nie etwas Ähnliches gesehen und blinzelte, als der leere Raum vor ihm zu leuchten begann.

Manning drückte einige Knöpfe, und vor ihren Augen entstand ein Abbild des gesamten Pazifischen Ozeans. Ein leuchtender Punkt wanderte an eine bestimmte Stelle. Gella hatte sich inzwischen orientiert, da er aus Büchern die Kartographie kennengelernt hatte.

»Hier ist der Alëuten-Graben«, sagte Morgan, »wo wir sind. Ihr Tal, das Tal der Amphibier, ist hier. Und die Westküste unseres Landes ist dort. Ich halte es für wichtig, daß Sie ein Gefühl für die Entfernung bekommen.«

Gella nickte.

»Den Maßstab vergrößern«, sagte Morgan. Das Bild flimmerte, schmerzte in den Augen, verdichtete sich wieder und zeigte einen Ausschnitt der Westküste der Vereinigten Staaten. »Ungefähr dreihundertsechzig Kilometer von unserer Küste entfernt«, fuhr Morgan fort, »haben die Chinesen zwei große Handelsschiffe versenkt. Eines befindet sich hier und das andere dort. Wir haben Photographien, wie sie auf dem Grund liegen –«

»Wie haben Sie das fertiggebracht?« unterbrach ihn Manning. »Ich denke, man kann sich den Schiffen nicht mit Fahrzeugen nähern, weil die Erschütterungen sofort die Zünder auslösen würden?«

Morgan nickte. »Wir haben Delphine eingesetzt. Auf jeden Fall liegt das südliche Schiff auf der Seite.«

Sie erblickten ein vollkommen räumliches Bild eines Frachters, der auf felsigem Grund lag.

»Das auf Höhe von San Francisco«, sagte Morgan, »steht aufrecht.« Er blickte Gella an. »Jedes Schiff ist eine komplette Wasserstoffbombe. Wenn Sie Fragen haben, werden wir Ihnen antworten. Verzeihen Sie, wenn ich Zahlen oder Begriffe verwenden sollte, die Ihnen fremd sind. Diese Bomben gehören in den Gigatonnenbereich. Stellen Sie sich vor, tausend oder eine Million Vulkane brechen zur gleichen Zeit an ein und derselben Stelle aus . . .«

Gella mochte es kaum glauben. »Jedes Schiff ist so?«

Morgan nickte. »Ja, jedes. Und wenn eine Bombe explodiert, wird die Druckwelle auch die andere zur Detonation bringen. Wenn das geschehen sollte, bricht ein schreckliches Unglück über unser Land, unser Volk herein.«

»Gella«, sagte Manning, »wir rechnen mit einer Flutwelle, die etwa vierhundert Meter hoch sein wird und sich mit über tausend Kilometer Geschwindigkeit pro Stunde vorwärtswälzen wird.«

Er sah, wie Gella langsam begriff, wie ihm das Entsetzen in die Augen stieg.

»Die Flutwelle wird gegen die Westküste meines Landes prallen«, sagte Manning, »und alles mit sich reißen, von der Küste bis zum Gebirge, das wir Sierra Nevada nennen. Die Flutwelle wird zu einer Wolke, einem Nebel werden, der schrecklich radioaktiv ist und fast das ganze Land überzieht.«

Gella wandte sich ab, schloß die Augen und kämpfte um besseres Verständnis. Er wandte sich schließlich Manning zu. »Diese anderen Leute von der Oberfläche, die ihr Chinesen nennt, die werden so etwas tun?«

Morgan machte einen Schritt auf ihn zu. »Sie haben die Schiffe dort versenkt. Sie haben es uns mitgeteilt. Sie haben uns gewarnt. Sie sagen, wenn wir versuchen, die Bomben zu entschärfen, werden sie explodieren.«

»Das ist – wie sagen Sie – verrückt?« stieß Gella hervor.

»Es ist verrückt«, nickte Manning. »Wir haben alle unter dieser

Verrücktheit gelitten. Und viele von uns bemühen sich, zu verhindern, daß so etwas noch einmal geschieht.«

Morgan ließ nicht locker. »Inzwischen drohen sie uns auf andere Weise. Sie wissen, wie Regierungen arbeiten, was Politik ist, Wirtschaft, Militär –«

»Halt, halt«, bat Gella. »Sie verlangen zu viel von mir. Ich weiß nichts von solchen Dingen. Ich kenne die Worte, aber nicht die Bedeutung. Hier gibt es so etwas wie Militär nicht. Ich habe versucht, aus Ihren Büchern zu lernen.«

Er warf Manning einen flehenden Blick zu, gab ihm zu verstehen, wie sehr er sich mühte. »Ich muß in unseren Begriffen denken«, fuhr er fort. »Vielleicht kann man sagen, Ihr Leben ist plötzlich von einer Unzahl Garm bedroht, die plötzlich über Sie herfallen.«

Manning sah ihn respektvoll an. »Besser kann man es gar nicht ausdrücken, Gella.«

»Und Masergewehre helfen Ihnen nicht?«

»Nein«, erwiderte Manning.

Gella quälte sich einige Augenblicke weiter und sah dann Manning direkt in die Augen.

»Können wir – helfen?«

Manning und Morgan blickten sich rasch an. »Ja«, sagte Manning zum Führer der Ikianer. »Sie können helfen. Miko hat mir gesagt, daß Ihre Leute auch in großen Tiefen ins offene Meer hinaus können, auch wenn der Druck so groß wie außerhalb der grünen Kuppel ist; daß sie keinen Schaden erleiden.«

»Das stimmt.«

Morgan sagte ungläubig: »Da werden sie doch wie Eier von einem Panzer zerdrückt.«

Gella wandte sich an ihn. »Nein. Die Ikianer haben andere Körper. Miko hatte lange mit unseren –«

»Ärzten?« fragte Manning.

»Ja, mit unseren Ärzten darüber geredet.«

Manning nahm Gella die Erklärung ab. »Die Ikianer füllen ihre Körper mit Seewasser, was den Druckausgleich herstellt. Innendruck entspricht Außendruck. Die Ikianer funktionieren dann wie warmblütige Fische. Ihre inneren Organe verändern sich auf eine Weise, die unsere Biologen um den Verstand brächte, und sie tragen keine Schäden davon. Auch die Temperatur regelt sich von selbst.«

»Aber das geht doch nur einige Stunden gut«, sagte Morgan. »Sie könnten nicht lange genug leben, um das zu tun, wofür wir sie brauchen.«

»Morgan, wann begreifen Sie endlich, daß die Ikianer Wasser atmen können?«

Schließlich dämmerte es Morgan, daß er alles vergessen mußte, was er über Meeressäugetiere gelernt hatte. »Meine Güte, dann könnte es klappen.« Er schöpfte plötzlich Hoffnung, und das ließ seine Stimme heiser werden.

»Ja«, sagte Manning, »es wird klappen.«

Morgans Hochstimmung verschwand so plötzlich, wie sie gekommen war. »Verdammt, meine Gefühle sind mit mir durchgegangen. Diese Schiffe sind ja Tausende Kilometer von hier entfernt, und man bräuchte Boote, um zu ihnen zu gelangen. Und wenn die Chinesen das merken, dann wagen sie vielleicht den Sprung und –«

Zu seiner Überraschung mußte Manning lachen. »Sie unterschätzen die Ikianer, Morgan. Wir können sie fünfhundert Kilometer von den Schiffen entfernt absetzen, und den Rest ihnen überlassen. Die werden es schaffen. Ihre Wissenschaftler sind auf ihre Art so gut wie unsere. Die Handgriffe der Operation können ihnen leicht beigebracht werden.«

»Was wollen die denn machen?« fragte Morgan. »Wollen die in einer Tiefe von dreitausend Metern ein paar hundert Kilometer schwimmen und das, was sie brauchen, in den Armen tragen?«

»Sie haben noch nie einen *yren* gesehen.«

»Ich glaube, ich kann das Wort noch nicht einmal aussprechen.«

»Ein lebendiger Unterwasserschlitten.«

»Lebendig –«

»Wir führen Ihnen einen vor, dann wissen Sie Bescheid. Es ist einfach kein Problem, von hier ohne mechanischen Antrieb dorthin und wieder zurück zu kommen. Sie können den Minister beruhigen.«

»Ich wollte, es wäre so einfach.« Morgan war anzusehen, wie aufgeregt er war. »Aber man muß doch erst einmal alle Probleme diskutieren. Diese Leute wollen ins offene Meer hinaus, nicht? Sie werden durch Gebiete kommen, in denen es von Haien nur so wimmelt. Sie wissen doch, daß diese Tiere erst einmal zubeißen und sich hinterher fragen, was sie überhaupt im Maul gehabt haben. Waffen können nicht eingesetzt werden, nicht einmal Maser. Wenn die Chinesen etwas entdecken, das nicht lebendig ist, gehen vielleicht die Bomben hoch. Wie wollen sich Gellas Leute also schützen?«

»Grektor.«

Morgan starrte Gella an. »Was?«

»Er hat Grektor gesagt«, meinte Manning.

»Das sind Fremdwörter für mich. Was ist denn ein Grektor?«

Manning und Gella sahen sich lächelnd an. »Ich glaube, das beste ist, wir zeigen ihm einen.«

Gella nickte. »Ja, gut.«

Manning wandte sich an Holvak. »Die äußere Kammer benachrichtigen. Zwei Anzüge mit Helmen. Einen für Kapitän Morgan und einen für mich. Wir gehen mit Gella nach draußen.«

Sie sagten Morgan nichts weiter und gingen direkt durch die Luftschleuse in die Druckkammer. Sie zogen sich um, und Prentiss überprüfte die Ausrüstung.

»Alles in Ordnung«, sagte er. »Brauchen Sie noch etwas, Kapitän?«

»Hm, nein, aber Sie warten hier lieber«, sagte Manning. »Wir kommen vielleicht ganz unerwartet zurück. Wir wollen Kapitän Morgan einen Grektor vorführen.«

Prentiss verzog die Lippen. »Verstehe.« Er warf einen Blick auf Morgan. »Die sind süß, aber ein bißchen merkwürdig.«

Manning führte Morgan an die offene Luke, die ins Meer ging. »Gella, Sie zuerst. Wir kommen nach.«

Sie stiegen ins Wasser, schwammen langsam unter dem riesigen Bug des U-Bootes hindurch. Gella sah Manning an und nickte.

Manning sprach über Mikrophon mit Morgan. »Er ruft jetzt einen.«

»Einen Grektor?«

»Mhmm.«

Gella nahm eine Pfeife aus einer Tasche und stieß zweimal hinein. Sie hörten einen gedämpften, aber doch durchdringenden Ton.

Morgan sah sich um. »Ich sehe nichts.«

Manning lächelte. »Steve, wir haben Besuch.«

»Einen Grektor?«

»Genau. Drehen Sie sich langsam um. Er ist direkt hinter Ihnen.«

Morgan wandte sich um, und sein Gesicht verkrampfte sich in plötzlichem Entsetzen. Der Anblick des gewaltigen Kopfes, kaum drei Meter entfernt, der anscheinend endlose Leib, die großen, blitzenden Zähne ließen ihn die Augen aufreißen. Manning hörte in seinem Helm einen unterdrückten Schrei, und Morgan fiel in Ohnmacht.

Gella und Manning lachten, und sie brachten den schlaffen Körper zum Eingang der Druckkammer. Morgan würde sich keine Gedanken mehr darüber machen müssen, wie sich die Ikianer im offenen Meer verteidigen wollten.

24

Jessica und Arnom stiegen Hand in Hand aus dem Wasser und kletterten über Steinstufen in eine hohe Halle hinauf. Gellas Lebensgefährtin und Miko sahen ihnen entgegen. Jessica löste sich von Arnom und rannte auf Miko zu.

»Es gibt gute Neuigkeiten!« rief sie. Sie umarmte Miko, drückte ihren nassen Körper an sie. »Ich habe eben mit Fregattenkapitän Ryan gesprochen«, fuhr sie fast atemlos fort. »Er hat es von New Washington –« Sie mußte tief Luft holen.

Miko lachte und sagte: »Immer mit der Ruhe, Jessie. Atme erst einmal tief durch, damit sich deine Lunge erholt.«

Jessica schüttelte den Kopf und wartete einige Augenblicke, bis sie den Atem wieder unter Kontrolle hatte. Sie blickte von Miko zu Luna, Gellas Lebensgefährtin, und fuhr fort: »Sie haben Neuigkeiten von New Washington, Miko, und sie glauben, sie haben die Stelle ausfindig gemacht.«

»Welche Stelle, Jessie?«

»Die Laichgründe der Garm. Wo die sich vermehren.«

Miko warf einen raschen Blick auf Luna. Die Ikianerin spürte, daß etwas Wichtiges geschehen war, aber sie beherrschte das Englische nicht gut und hatte dem Gespräch nicht folgen können. »Ich habe nicht – verstanden«, sagte sie langsam.

Miko nahm ihre Hand. »Ach, Luna, gute Nachrichten für das Tal. Kapitän Manning hat mit den anderen schon darüber gesprochen. Er sagte, wenn man weiß, wo sich die Garm zum Laichen versammeln, kann man mit U-Booten dorthin fahren und sie vernichten.«

Luna machte große Augen. »Wenn das geschieht – hier keine Garm mehr?«

»Stimmt«, sagte Jessica. »Miko, wäre das nicht herrlich, wenn wir unseren Freunden helfen könnten?«

»Ja, natürlich«, erwiderte Miko. Eine schreckliche Last schien von ihren Schultern genommen. Sie hatte keinen Moment vergessen können, daß die radioaktiven Stoffe, die die Menschen der Oberfläche ins Meer geschüttet hatten, die Ozeane nicht nur verschmutzt hatten. Durch sie war eine Gefahr zu einem Alptraum geworden, der das natürliche Gleichgewicht, in dem die Ikianer seit Jahrtausenden gelebt hatten, in Unordnung bringen konnte.

Jessica trat plötzlich zurück, als erblicke sie Miko zum ersten Mal. »Ich sehe es jetzt erst«, sagte sie still. »Du trägst ein ikianisches Gewand. Wie schön du bist!«

Wieder umarmte sie Miko. Sie legte den Kopf an Mikos Schulter. »Ach, wenn es dir auch so ginge wie mir. Du weißt schon, Arnom und ich.«

Miko streichelte ihr das feuchte Haar. »Man kann nie wissen, Jessie.« Sie lächelte. »Die Zeit scheint wirklich reif für Wunder, nicht?«

Luna berührte sanft ihren Arm. »Ihr sprecht über Kapitän Manning?«

Miko blickte zu Boden und nickte.

»Diese Dinge sind überall gleich«, sagte Luna. »Es wird werden.«

Miko versteckte ihre Gefühle nicht. »Vielleicht. Mehr kann ich nicht hoffen. Und das genügt für den Augenblick auch.« Sie lachte mit leuchtenden Augen. »Vielleicht ist es soweit, wenn wir zurückkehren.«

Es wurde still in der Halle. Jessica sagte mühsam: »Wenn ihr zurückkehrt?«

Luna nahm Mikos Hand. »Du, Manning Kapitän, die anderen, ihr alle verlaßt uns?«

Miko nahm Lunas Hand in beide Hände. »Nicht alle. Templeton wird hier bleiben, aber Dr. Chadwick muß mit unserem Präsidenten sprechen. Er wird zurückkommen. MacKinney wird mit zwei Männern hier bleiben und deinen Leuten zeigen, wie man mit den Maserwaffen umgeht. Und es gibt Pläne, Elektrizität zu erzeugen, und noch viele andere Dinge.« Miko sah Jessica zärtlich an. »Und sie ist schließlich hier zu Hause.«

Luna sagte ernst: »Wann wird das geschehen?«

»Morgen, vielleicht übermorgen«, antwortete Miko. »Wir kommen alle bald wieder. Wir fahren auf jeden Fall erst, wenn Kapitän Manning von einem kleinen Ausflug zurück sein wird. Er will mit einem kleinen U-Boot zur Oberfläche hinauf. Mit Gella.«

Luna hielt die Hand vor den Mund und starrte sie aus großen Augen an. Es war, als sei ihr ein Schlag versetzt worden.

»Gella – in die andere Welt?«

»Ja, ein Besuch, wenn es oben Nacht ist.« Miko wandte sich an Arnom. »Kapitän Manning möchte, daß du heute nachmittag ins U-Boot kommst.«

Arnom sagte nichts, zeigte nur mit dem Zeigefinger auf sich und machte ein fragendes Gesicht.

»Genau«, sagte Miko lächelnd. »Du sollst mitfahren.«

Jessica nahm Arnom die Frage ab. »Wo fahren sie denn hin?«

»Ich glaube . . . Kapitän Manning wird es ihnen erklären«, sagte Miko kopfschüttelnd.

*

Sie versammelten sich in der großen Druckkammer, und eines der viersitzigen U-Boote war abfahrbereit. Manning, Ryan, Simmons, Prentiss und Autry waren anwesend, und neben ihnen standen Gella und Arnom. Man erwartete noch eine Reihe Ikianer, die Zeugen der Abfahrt werden sollten. Man hatte besondere Druckanzüge in die Kammer gebracht, und Regale und der Boden waren mit Ausrüstungsgegenständen übersät. Manning und Simmons waren in ein Gespräch vertieft, und Gella lauschte angestrengt.

»Es ist also der umgekehrte Vorgang«, sagte Manning bedächtig zum Arzt. »Der Körper der Ikianer kann höheren Druck aushalten, erträgt aber nur begrenzten Druckabfall. Mit anderen Worten, es wird gefährlich für sie, wenn sie niedrigem Druck ausgesetzt werden, sei es im Wasser oder in der Luft.«

Simmons nickte. »Ich sehe das so. Ich habe Stunden mit ihren Medizinern darüber geredet. Wir sind einer Meinung. Gella?«

Der Führer der Ikianer sagte: »Es stimmt. Wir haben nie so etwas getan. Es ist zu gefährlich. Selbst die luftgefüllten Räume stehen immer unter einem höheren Druck als das Tal.«

»Es ist leicht zu verstehen«, meinte Simmons. »Wir Menschen leben im normalen Luftdruck. Wir können, ohne Nebenwirkungen befürchten zu müssen, ins Meer hinabtauchen oder in eine Druckkammer wie die hier steigen, solange wir bestimmte Vorkehrungen treffen und gewisse Zeitabläufe berücksichtigen. Aber wir haben auch Grenzen: Wir können nicht einfach aus einem Raumschiff heraus und den Mond betreten –«

»Ohne einen Druckanzug, in dem wir die heimatlichen Bedingungen mit uns tragen«, meinte Manning.

»Genau. Wir müssen also daran denken«, sagte Simmons, »daß unser Normaldruck für Gella wie ein Vakuum ist. Er und seine Leute würden genauso sterben wie wir, wenn wir von Seehöhe auf dreißigtausend Meter Höhe gebracht würden.«

»Soweit ist alles klar«, sagte Manning. »Wenn wir sie also in einem Anzug, in dem hoher Druck herrscht, in unsere Atmosphäre bringen, dürfte nichts passieren.«

»Wie unseren Leuten nichts passiert ist, als sie in Druckanzügen auf dem Mond herumspazierten«, stimmte ihm Simmons zu.

Plötzlich blickte er Manning mit einem wissenden Lächeln an. »He, einen Augenblick mal. Ich dachte, es handelt sich hier nur um einen akademischen Gedankenaustausch. Sie wollen doch Gella nicht mit zur Oberfläche nehmen?«

»Doch, doch. Und er möchte hinauf. Wir nehmen auch den jungen Arnom mit.« Manning gab den anderen Besatzungsmitgliedern einen Wink. »Bringt die Anzüge her. Helft Gella und Arnom beim Anlegen. Macht es langsam und genau nach Vorschrift, und überprüft jeden Schritt.«

Manning ging an die Schalttafel an der Wand und drückte auf den Knopf der Wechselsprechanlage. »Hier Manning. Ryan, sind Sie soweit?«

Ryan hatte schon hinter dem Steuerknüppel des kleinen U-Bootes Platz genommen. Seine Stimme kam klar aus den Lautsprechern: »Wir sind bereit, Kapitän.«

»Sehr schön, Bill. Alle Systeme auf volle Bereitschaft bringen.«

»Verstanden.«

Die nächsten dreißig Minuten verbrachten sie damit, Gella und Arnom in die Anzüge zu helfen, ihnen zu erklären, wie die Ausrüstung funktionieren würde und wie der Innendruck zu erhöhen wäre, sollte die Bordversorgung ausfallen.

Simmons verfolgte jeden Schritt sehr genau. Lange Zeit blieb er stumm, dann wandte er sich an Manning. »Kapitän, würde es Ihnen etwas ausmachen, mir zu sagen, worum es geht?«

»Liegt doch auf der Hand. Wir fahren mit dem kleinen Boot nach oben.«

»Da nehmen Sie aber ein gewaltiges Risiko auf sich. Wissen Sie, was geschehen wird, wenn etwas schiefgeht und Gella verletzt wird oder gar stirbt? Sie setzen alles aufs Spiel, was wir hier unten in die Wege geleitet haben.«

»Das ist die Sache wert, John!«

»Wie können Sie so etwas sagen!« stieß Simmons hervor. »Was ist an ihr so wichtig?«

Manning sah dem Arzt fest in die Augen. Er antwortete mit ruhiger, zuversichtlicher Stimme: »John, haben Sie je die Sterne gesehen?«

»Wie?«

»Sie haben meine Frage gehört.«

»Natürlich . . . ich habe sie gesehen. Ich weiß nicht, worauf Sie hinauswollen.«

»Gella bricht mit den Traditionen. Er arbeitet mit uns zusammen. Eine Menge Leute im Tal können sich überhaupt nicht vorstellen, was der Himmel ist. Ich möchte, daß Gella und der Junge die Sterne sehen, einfach nur sehen, und wenn es nur durch die Helme ist. Es wird ihnen mehr bedeuten als alle die Worte, die wir ständig wiederholen. Ein Blick genügt.«

Er ließ den Arzt stehen und ging zu Gella und Arnom, die in ihren schweren Anzügen ungelenk wirkten und sich ohne Hilfe kaum bewegen konnten. Im U-Boot warteten Sitze auf sie. Sie würden sich nicht bewegen müssen. Wenn sie die Oberfläche erreichten, würden die Ikianer in ihren Anzügen demselben Druck unterworfen sein wie jetzt.

Eine Reise an die Oberfläche, in eine andere Welt.

Um einen Blick auf die Sterne zu werfen.

Genug, um das Leben eines Menschen zu verändern und die beiden Rassen sich näherzubringen.

Manning betrachtete die beiden Ikianer, die schon an die Sprechanlage angeschlossen waren. Gella lächelte ihn durch den glasklaren Helm matt an. Er sagte in das kleine Mikrophon vor seinen Lippen: »Sie können mich hören, Manning Kapitän?«

»Ja, sehr deutlich. Können Sie mich auch hören, Gella?«

Er nickte. »Es ist alles sehr seltsam.«

Manning lächelte ihm zu.» So haben wir uns gefühlt, als ihr uns das Wasseratmen beigebracht habt.«

»Ja, ich verstehe.« Gellas Stimme war leicht metallisch verzerrt. »Es ist auch . . . ich habe das Wort vergessen.«

»Aufregend?«

»Ja, so ist es.«

Manning wandte sich an die anderen. »Sind wir soweit?«

Prentiss nickte. »Alles bereit, Kapitän. Sie können an Bord.«

Gella hob mühsam eine Hand. »Wir müssen warten.«

Manning sagte langsam: »Ich verstehe nicht.«

»Ich habe es dem Rat versprochen. Er will hier sein, bevor wir fahren. Unser Volk hat so etwas noch nicht erlebt. Es ist notwendig.«

Manning runzelte die Stirn. Es wäre ihm lieber gewesen, Gella hätte schon früher davon gesprochen. Trotzdem sagte er: »Selbstverständlich. Wann wollen die Männer hier sein?«

»Sie kommen jetzt. Sie müssen –«

Eine Glocke ertönte, und über Lautsprecher meldete sich die Brücke. »Eine Gruppe Ikianer, Sir. Sie wartet vor der Kammer.«

Die Bodenluke war offen, und das Wasser rauschte, als die sieben Ratsmitglieder in die Kammer kamen. Sie trugen Zeremonialgewänder und bewegten sich feierlich, als wären ihre Körper durch Gewicht beschwert. Einige Augenblicke starrten sie Gella und Arnom in ihren Anzügen an.

Hydrea trat steif und förmlich vor. Er nickte in Mannings Richtung.

»Manning Kapitän«, sagte er, und seine Stimme war kalt, während er das Begrüßungsritual vollzog.

»Ich grüße euch, Hydrea, und heiße euch willkommen«, erwiderte Manning in gleichem Ton.

»Wir möchten mit Gella sprechen.«

»Er kann euch hören.«

»Wir müssen auch mit seinen Augen sprechen. Das geht nicht anders.«

Manning nickte. »Die Helme abnehmen«, sagte er seiner Mannschaft. Sie warteten, bis Gella und Arnom die Druckhelme abgenommen waren.

Gellas Gesicht war unbewegt. Die Amerikaner zweifelten nicht, daß ihr Verhältnis zu den Ikianern kurz vor der Auflösung stehen konnte.

»Ich spreche für den Rat«, sagte Hydrea, und man konnte es als Zeichen der Hochachtung auslegen, daß er sich zwang, die englische Sprache beizubehalten.

Gella nickte. »Ich höre.«

Hydrea richtete sich auf. Seine Augen blickten zornig und mißtrauisch. »Ich spreche für den Rat«, wiederholte er. »Und wir bitten auch Sie, Manning Kapitän, zuzuhören.«

»Ich höre«, sagte Manning förmlich.

Hydrea wandte sich wieder an Gella. »Es ist nicht recht. Der Rat spricht durch meinen Mund. Du und der Junge, ihr dürft die andere Welt nicht aufsuchen. Es ist nicht gestattet.«

Im Raum war es totenstill. Manning erwartete, daß Gella widersprechen würde, war aber völlig überrascht, als der alte Mann zustimmend nickte. »Ich höre«, sagte Gella schließlich. »Was der Rat beschließt, wird getan.«

Wieder eine lange, ungemütliche Pause, bis Manning das Schweigen brach. »Wir werden uns natürlich nach euren Wünschen richten«, sagte er zu Gella. Und zu Hydrea: »Und nach denen des Rates. Wir möchten niemandem zu nahe treten. Aber darf ich wissen, warum ihr euch so entschieden habt?«

Gella gab die Antwort. »Vielleicht wird es später gehen. Ich verstehe. Sie haben sich versammelt und haben über das gesprochen, was ihr unsere Schriften nennen würdet. Die heiligen Bücher.«

»Wir dürfen uns nicht gegen den Vater wenden«, fügte Hydrea hinzu.

»Ich verstehe nicht«, sagte Manning. »Ich höre zu, aber ich bin verwirrt. Helft ihr mir, euch zu verstehen?«

Zum erstenmal entspannte sich Hydrea. Man hätte auf Widerstand stoßen können. Seine schlimmsten Befürchtungen waren nicht eingetroffen. Hier waren die Männer, die das große Wasser vergiftet hatten, die die Garm zu dem gemacht hatten, was sie jetzt waren. Sie hatten zwar beim Kampf gegen sie geholfen, sie konnten jetzt die Garm vielleicht sogar für immer vernichten, aber das tat nichts zur Sache. Hier waren die Männer, die noch lange vor ihrem Erscheinen dem großen Tal Schlimmes gebracht hatten. Der Rat hatte sich ausgesprochen und hatte die Schriften studiert, die jedem Ikianer von Kindheit an vertraut waren. Hier lag ein Verstoß gegen die alten Gesetze vor.

Die Schriften hatten kein Falsch in sich, und sie warnten vor einer Katastrophe.

»Manning Kapitän, ich werde es versuchen«, sagte Hydrea stockend in der fremden Sprache. »Unser Freund Matthews, er verstand, er konnte gut reden, aber jetzt ist er gegangen. Wir sind eure Freunde geworden. Ich war dagegen, aber der Rat hat gesprochen, und ich habe auf die Worte gehört. Jetzt muß Gella hören und den Worten folgen. Eure Leute, unsere Leute, wir lernen voneinander. Ihr helft uns gegen die Garm, wir helfen euch gegen die Schiffe, die auf dem Meeresgrund liegen.«

Hydrea holte tief Luft, sah die Mitglieder des Rates an. Sie nickten ihm zu.

»Kein Ikianer darf die Welt verlassen, mit der wir gesegnet sind«, sagte Hydrea. »Es ist gefährlich.«

Manning schüttelte den Kopf. »Wir würden nicht zulassen, daß ihnen etwas zustößt, Hydrea.«

»Für sie ist es nicht gefährlich«, verbesserte Hydrea Mannings Auslegung. »Für unser Volk.«

Er stand stolz aufgerichtet vor ihnen, und seine Augen richteten sich in die Ferne. »Ich werde von unseren Schriften erzählen.« Seine Stimme nahm einen fast hypnotischen Klang an, und es war deutlich, daß er jedes Wort glaubte.

»Am Anfang war die Welt unfruchtbar«, begann Hydrea langsam. »Die Schriften sagen, daß Wasser über die ganze Welt reichte. Dann tat der Vater des Alls seine Hand in das Wasser und zog das Land hoch. Wo kein Wasser war, gab es auch kein Leben. Der Finger des Vaters schafft Berge, aber die sind tot. Dann atmet der Vater gegen das Land, und es entsteht Feuer. Aus Erde, Feuer und Wasser, die der Vater mischt, entsteht Iki. Das heißt Mann. Iki ist der erste Mensch. Der Vater schafft Pflanzen, und aus einer Blüte läßt er Hava entstehen. Hava heißt Frau. Und der Vater bringt beide an das Ufer, und sie leben, wo Wasser und Erde sind.

Iki und Hava haben Kinder. Die leben nur auf dem Land. Viele Generationen vergehen, aber Iki und Hava sterben nicht. Sie sind anders. Sie können im Meer und auf dem Land leben. Die Leute auf dem Land vergessen den Vater und lachen über Iki und Hava.«

Hydrea schwieg, atmete schwer, da er in die fremde Sprache übertragen mußte, was er seit seiner Kindheit im Herzen getragen hatte. Gella blickte ihn abwartend an. Hydrea fuhr etwas langsamer fort: »Es ist kein Platz mehr für Iki und Hava. Sie verlassen das Land und gehen tiefer in das Wasser. Sie schwimmen sehr tief hinunter. Eines Tages finden sie das große Tal. Sie leben hier unter der grünen Kuppel, machen sie größer. Sie leben im Wasser, wie vom Vater bestimmt. Sie haben viele Kinder, die wie sie Luft oder Wasser atmen. Schließlich sagt der Vater, es ist Zeit für sie, sich auszuruhen. Iki und Hava sterben und kehren zum wahren Vater aller Dinge zurück, die im Wasser schwimmen. Das Leben ist gut zu den Seemenschen im großen Tal.«

Hydreas Gesicht verhärtete sich wieder. »Auf dem Land ist es nicht so. Dort vergessen die Menschen den Vater. Wahnsinn kommt über sie. Sie töten sich gegenseitig und zerstören ihre Heimat. Das ist schlecht. Überall ist Gift, und eines Tages kommt das Gift ins Meer. Die Seemenschen wissen es und machen die Kuppel stärker. Und der Vater sagt den Kindern von Iki und Hava, nie das Wasser zu verlassen, nie das Land zu betreten, wo Wahnsinn herrscht, sonst werden sie vernichtet, und das große Tal mit ihnen. So steht es in den Schriften.«

Dann sagte Hydrea noch: »Das ist heiliges Gesetz. Gella und Arnom dürfen es nicht brechen. Sie dürfen nicht auf das Land. Uns wird es übel ergehen.«

Gella trat langsam vor, bis er vor Hydrea stand. Er sagte lange nichts. Schließlich nickte er.

»Zwei Dinge sage ich dem Rat«, sprach er. »Zum ersten werden wir dem Rat gehorchen. Das war immer so und muß so bleiben.«

Die alten Ikianer gaben murmelnd ihre Zustimmung und ihren Beifall kund, bis Gella die Hand hob, was ihm nicht leichtfiel, da er noch in dem Schutzanzug steckte. Es herrschte wieder Schweigen.

»Es muß aber noch mehr gesagt werden. Hydrea hat nicht über die ganzen Schriften gesprochen.« Gella wandte sich vom Rat ab und Manning zu. »In den Schriften steht mehr. Es steht geschrieben, daß eine Zeit kommen wird, in der Menschen, die nicht böse sind, vom Vater ins Meer zurückgeführt werden. Wenn das geschieht, werden alle Menschen wieder so sein wie zu Beginn.«

Hydrea wurde ärgerlich. »Diese Zeit ist noch nicht da.«

»Ich weiß das nicht«, erwiderte Gella ruhig. »Du weißt es nicht.«

Manning hatte sorgfältig gelauscht. Jetzt sagte er: »Wir werden nichts gegen den Rat unternehmen. Hydrea, ihr habt nicht recht. Wir glauben, die Zeit ist gekommen, daß sich alle Menschen zusammentun, alle.«

»Das Böse ist unter uns«, antwortete Hydrea düster.

»Überall ist das Böse«, sagte Gella. »Aber so dürfen wir nicht vor unseren Freunden sprechen. Wir müssen das unter uns besprechen.« Er winkte die Amerikaner herbei. »Bitte.« Man half ihm und Arnom aus den Anzügen.

Gella stand stolz vor ihnen. »Die Schriften sagen noch mehr. Sie sagen, die Seemenschen müssen wie alle Menschen den Gesetzen des Vaters folgen. Wir dürfen die Zukunft nicht fürchten. Wir haben aber Furcht. Hydrea ist ein guter Mann. Er macht sich um uns Sorgen. Das ist recht. Aber wir müssen lernen, zu verstehen. Auch wenn Iki und Hava einst vertrieben wurden, können wir uns nicht immer verstecken. Manning Kapitän hat mir viel von einer Zeit des Wachstums erzählt. Wo kein Wachstum, da ist Tod.«

Gella sah den Rat an. Sie wichen seinem Blick nicht aus und nickten.

»Gut. Wann verlaßt ihr das große Tal?« fragte er Manning.

»Übermorgen.«

»Wir möchten, daß ihr bald zurückkehrt.«

Manning sah die anderen Ikianer an. »Ist das auch der Wunsch des Rates?«

Man nickte. »So ist es«, sagte einer der Ikianer. Manning freute sich. Es war besser gegangen, als er gedacht hatte.

»Während ihr fort seid«, sagte Gella bedächtig, »möchten wir das Mädchen zu einer von uns machen.«

Die Operation. Jessica würde in der Lage sein, Luft oder Wasser so ungehindert wie die Ikianer zu atmen, ohne Geräte, ohne Hilfen.

»Das Mädchen möchte es so«, sagte Manning. »Sie hat sich Arnom zum Lebensgefährten erwählt.«

»Das ist wahr«, nickte Gella.

Er wandte sich wieder den alten Ikianern zu, aber seine Worte galten Manning. »Wenn ihr zurückkehrt, wird hier viel gesprochen worden sein. Viel wird beschlossen sein. Das Mädchen Jessica wird eine von uns. Sie wird dann uns und euch angehören.«

»Das ist wahr«, sagte Manning.

»Wenn ihr wiederkommt, wird die Zeit reif sein«, fuhr Gella fort. »Wie das Mädchen eine von uns wird, müssen wir beginnen, euch näherzukommen. Wenn ihr wiederkommt und die Rassen vereint sein werden, will ich mit euch zur Oberfläche hinauf.«

Die Ikianer sprachen leise murmelnd miteinander. Sie waren überrascht, wie stark Gellas Stimme geklungen hatte.

»Es ist Zeit, sich zu vereinen«, sagte Gella.

Er blickte von einem zum anderen, bis alle Augen in der Kammer auf ihn gerichtet waren.

»Es ist Zeit, daß ein Ikianer sieht, wo der Vater des Alls wohnt.«

Manning blickte dem Ikianer in die Augen. Er wußte, daß er einen Freund gewonnen hatte. Er nahm Gellas Hand.

»Wir werden zurückkommen, und die Vereinigung wird stattfinden, wenn es so sein soll. Ich verlasse Sie mit einem Versprechen, Gella.«

»Sprecht, Manning Kapitän.«

»Wir werden wiederkommen, und die Sterne werden auf Sie warten.«